VLEES NOCH VIS

© NUTRIMONT/ARTULEN NEDERLAND B.V. 1998
Waalreseweg 17
5554 HA Valkensewaard
Foodstyling en fotografie: Studio Hans Abel, Bergschenhoek
Grafische vormgeving: Teo van Gerwen-Design, Leende

NUGI: 755
ISBN: 90-75720-19-X

MONTIGNAC® en METHODE MONTIGNAC® zijn geregistreerde handelsnamen

VLEES NOCH VIS

250 VEGETARISCHE RECEPTEN
VOLGENS DE METHODE MONTIGNAC

ANJA ANKER - BORST

UITGEVERIJ ARTULEN NEDERLAND BV.
VALKENSWAARD

VAN MICHEL MONTIGNAC VERSCHENEN IN NEDERLAND DE VOLGENDE BOEKEN:

De methode wordt uiteengezet in:

Slank worden met zakendiners
ISBN: 90 800 786 7 0

Ik ben slank want ik eet
ISBN: 90 800 786 6 2

Ik ben slank want ik eet *(video)*
ISBN: 90 75720 02 5

Zij is slank want zij eet!
De Methode Montignac
speciaal voor de vrouw
ISBN: 90 800 786 9 7

Ik blijf jong, want ik eet beter
ISBN: 90 75720 04 1

Nog meer met Montignac:

Ik ben gezond want ik drink... Wijn, elke dag
ISBN: 90 75720 03 3

Montignac van A tot Z,
de Dictionaire van de Methode
ISBN: 90 800786 8 9

De volgende receptenboeken:

Recepten en menu's volgens de
Methode Montignac
ISBN: 90 800 786 5 4

Slank & Snel,
de fast cuisine van Michel Montignac
(Ria Tummers)
ISBN: 90 75720 01 7

Monter met Montignac
(Anja Anker-Borst)
ISBN: 90 75720 04 X

Mijn recepten uit de Provence
ISBN: 90 75720 06 8

Montignac, stap voor stap
De eerste zes weken (Ria Tummers)
ISBN: 90 75720 07 6

Smakelijk met Montignac
Recepten uit de Vlaamse keuken
(Nathalie Seliffet)
ISBN: 90 75720 08 4

Montignac... Vlees noch vis
(Anja Anker-Borst)
ISBN: 90 75720 19 X

Montignac op Klompen
(Francis van Arkel)
ISBN: 90 75720 20 3

INFORMATIE

Op Internet: http://www.montignac.com
Algemene informatie over methode, boeken en Belgische of Nederlandse Montignacclub

Voor meer informatie kunt u ook bellen naar de **Montignac-infolijn:**
Nederland: 0900-2026000 (*f* 0,75 per minuut)   België: 0900-10230 (Bfr. 18,15 per minuut)
Voor onder meer recepten, adressen en algemene informatie

Voor persoonlijk gerichte vragen bel of schrijf:
'Vereniging ter bevordering van de Methode Montignac in België' Telefoon (0)14 61 39 55 Postbus 2 B-2350 Vosselaar
Of **Montignac Club Nederland** Waalreseweg 17 5554 HA Valkenswaard Telefoon 040 - 20 89 261 Fax 040 - 20 30 358

Voor de levensmiddelen van Michel Montignac: zie achterin dit boek.

Frankrijk:
Comment maigrir en faisant des repas d'affaires
Mettez un turbo dans votre assiette
Je mange donc je maigris
Recettes et Menus Montignac (I et II)
La méthode Montignac, spécial Femme
Montignac de A à Z, le dictionnaire
Restez jeune en mangeant mieux
Boire du vin pour rester en bonne santé

Finland:
Syön hyvin ja siksi laihdun

U.K.:
Dine out and lose weight
Eat yourself slim
Recipes and menu's
The Montignac Method Special for Women
The Montignac Provençal Cookbook

Spanje:
Como adelgazar en comidas de negocios
Comer para adelgazar
Recetes Montignac

Duitsland:
Essen gehen und dabei abnehmen
Ich esse um ab zu nehmen
Montignac Rezepte und Menüs
Gesund mit Schokolade
Ich trinke Jeden Tag Wein um gesund zu bleiben
Schlank und Schnell

INHOUD

Met dank aan...

Voor de adviezen, tips en ondersteuning wil ik iedereen van harte bedanken. Ik ben op de eerste plaats dank verschuldigd aan de inspirerende Michel Montignac en Harris Oosterman, de arts die mij op het spoor bracht van gezonde voeding.

Ik wil ook alle fijnproevers bedanken, de mensen in mijn naaste omgeving die telkens weer opnieuw bereid waren te proeven van steeds weer nieuwe creaties. Kees mijn proefkonijn en geliefde heeft een totaal andere smaak dan ikzelf, maar al kokende heb ik een goede middenweg gevonden. Hij en de andere gasten aan onze tafel kregen niet alleen de gerechten voorgeschoteld, maar ook steevast een vragenlijst. Geen alledaagse combinatie, maar ik heb veel informatie gehaald uit jullie smaakbevindingen. Dank je wel: Arnold, Aukje, ma Anker, tante Rie, oom Ab, Klazien, Karin, Theo, Max, Tim, Ma van de Geest, Reina, Grietje, Annetje, Liesbeth, Willem, Sjaak, Addy, Elise, Naomi, Sara, Betty, Joop, familie van de Harg, Barbara, Stephanie, Corrie en natuurlijk collega Ria Tummers met je professionele kennis van proeven en de vele 'anonieme slacht-offers' die net op het moment langs kwamen dat er weer iets bereid was. Ook een bedankje aan Maria van natuurvoedingswinkel De Brandnetel in Leiden voor je suggesties. Ik heb ook veel gehad aan de aanbieders van producten op de boerenmarkt. Zij weten per slot van rekening precies wat er op dat moment van hun (eigen) bodem komt.

Niet op de laatste plaats richt ik mij tot de personen die zich beroepsmatig met mijn geesteskind hebben beziggehouden: Noud Cornelissen, Yvonne van Teo van Gerwen Design, Gerda en Hans Abel en Henny de Lint. Een extra woord van dank gaat tenslotte aan uitgever Harrie van de Kamp, die het niet alleen allemaal mogelijk maakt, maar ook een uitstekend adviseur is.

Ik dank jullie allemaal voor de prettige samenwerking.

Anja

VOORWOORD

Genietend van een sneetje volkoren appelbrood zit ik dit voorwoord te schrijven. Anja heeft dit brood gebakken en het is zo ontzettend lekker dat beleg overbodig is.

Sinds 1991 werk ik regelmatig met de methode Montignac in mijn eigen praktijk. Deze methode sluit namelijk aan bij mijn ideeen wat gezonde voeding is. Goede koolhydraten in de vorm van volkoren producten, groenten, fruit en peulvruchten. Goede vetten in de vorm van koudgeperste (olijf)olie, noten en zaden. Kwaliteit is hierbij belangrijker dan kwantiteit. De voedingsmiddelen moeten zo min mogelijk bewerkt zijn, dus rijk aan vezels, vitamines en mineralen en bij voorkeur biologisch geteeld.

Het aantal mensen dat regelmatig vegetarisch eet, groeit de laatste jaren enorm. Overal zijn vleesvervangers te koop en in de meeste restaurants biedt de vegetarische kaart meer dan de bekende gebakken eieren of kaasplank.

Ook het aantal mensen dat graag volgens de methode Montignac een vegetarisch menu wil samenstellen neemt toe. Tot nu toe paste ik recepten uit vegetarische kookboeken aan voor fase I. Met het verschijnen van dit boek is daar gelukkig een eind aan gekomen.

De meeste kant en klare vleesvervangers bevatten zowel vetten als koolhydraten en zijn daarom niet geschikt voor fase I, wel voor fase II. Maar om verantwoord vegetarisch te eten zijn deze vleesvervangers niet nodig. Dit boek van Anja toont dat aan en ook dat vegetarisch en gastronomie à la Montignac hand in hand kunnen gaan. Tevens houdt Anja rekening met seizoensproducten.

Ook voor mensen die op zoek zijn naar heerlijke koolhydraatmaaltijden is dit boek een aanrader.

Als eerste ga ik zelf het appelbrood bakken.

Henny de Lint, diëtiste en natuurvoedingsdeskundige.

INLEIDING

Meer dan twintig jaar leed ik aan buikpijn veroorzaakt door candidiasis, een schimmelziekte in de darmen. Ik was altijd moe en vaak depressief. Ik was vaste klant bij de huisarts en het ziekenhuis, maar het mocht niet baten. Via de Haagse arts Harris Oosterman leerde ik het belang kennen van gezonde voeding. Je bent wat je eet, luidt zijn devies. Een waarheid als een koe. Ik ben me steeds meer gaan richten op natuurlijk voedsel en het was dan ook niet verwonderlijk dat ik een goede 'relatie' kreeg met Michel Montignac.

De Methode Montignac kiest voor pure, onbewerkte producten. Dat is nieuw voor mensen die de natuurvoedingswinkels nog niet kennen. Helaas moet je in Nederland voor 'natuurlijke' boodschappen nog steeds naar alternatieve winkels. Dat moet veranderen en dat gebeurt ook. Door het succes van de Methode Montignac zien we steeds meer biologische producten op de schappen van de supermarkt.

Mijn candida-dieet heb ik geruisloos in de Methode Montignac kunnen inpassen. Het is zelfs zo dat ik weer regelmatig van vroeger afgeraden voedsel kan eten zonder daar last van te krijgen.
De Methode Montignac geeft een goede weerstand, wat weer van invloed is op je gestel en je algemeen welbevinden. Je kunt eten waar je behoefte aan hebt, waardoor je een tevreden gevoel krijgt. Daardoor ben je ook beter bestand tegen omstandigheden die om je heen gebeuren, zoals de stress van ons jachtige bestaan.

Dat vind ik nog steeds een aantrekkelijke bijkomstigheid van de Methode Montignac. Zonder zweverig te willen zijn vind ik dat je je niet alleen bewuster bent van wat je in je mond wilt stoppen, maar ook van jezelf. Je gaat beter om met de keuzes die je de hele dag door moet maken. Ik heb geleerd dat gastvrijheid niet alleen bestaat uit het aanbieden en volstoppen van je bezoekers met allerlei kant en klare hapjes en drankjes. Echte gastvrijheid, weet ik nu, bestaat uit het rekening houden met de smaak en wens van anderen.

Die smaak verandert. Daar ontkom je niet aan als je anders gaat eten. Je proeft, waar je vroeger van kon smullen, de onechtheid van bepaalde voedingsmiddelen. Dat geldt ook andersom. Soms moet je wennen aan de echte smaak van een product. Kijk daarom niet al te vreemd aan tegen bepaalde receptfantasieën in dit boek. Ze zijn vaak heel puur en gericht op wat je op dat moment in het seizoen vindt.

Geen aardbeien of peultjes in december, ook al liggen ze te wachten om geconsumeerd te worden.

Toen uitgever Harrie van de Kamp mij vroeg een boekje te maken zonder vlees- of visrecepten, bedacht ik dat ik maar eens gewoon ging noteren wat ikzelf dagelijks at. Al heel gauw constateerde ik dat ik graag met de seizoenen mee eet. Dan hoef je ook niet altijd van die bijzondere maaltijden te maken, die veel tijd en geld kosten, want automatisch komt er een ruime variatie in het voedingspatroon.

Het is best aantrekkelijk om gebruik te maken van exotische producten, maar ik richt me in dit boek vooral op de producten van eigen bodem. Ik heb een ruime indeling gemaakt naar de vier seizoenen. Ik begin, net als Vivaldi, met het voorjaar. Ik hoop dat de gerechten in dit boek 'Vlees noch vis' in de smaak vallen.

Veel genieten en smakelijk eten.

Anja Anker ⚓ Borst

De Methode Montignac in een notendop

Doelstellingen:

1 Afvallen en het handhaven van het gewenste goede/gezonde gewicht.
2 Bescherming van hart en bloedvaten.
3 Krijgen van een betere conditie.
4 Gezond en lekker eten en drinken.

Acht principes:

1 Geen calorieen tellen, we worden niet dik van teveel maar van slecht eten.
2 Voldoende eiwitten met de nadruk op peulvruchten, niet geraffineerde granen en soja-produkten.
3 Het gebruiken van goede koolhydraten, dit zijn; o a fruit, volkorenprodukten en peulvruchten.
  Het weglaten van slechte koolhydraten, dit zijn o a suiker, witbrood, koek en snoep.
4 Vezels, het voedingspatroon van de methode bevat veel natuurlijke vezels.
5 Goede vetten die hart en bloedvaten beschermen, vooral plantaardige olie van de eerste koude persing wordt daarom aangeraden.
6 Voldoende vitaminen, mineralen en sporen-elementen die zich in de goede koolhydraten bevinden.
7 Door goede vetten en goede koolhydraten te scheiden gedurende de eerste 2-3 maanden het gewichtsverlies bevorderen
8 Lichaamsbeweging is goed voor de glucose-stofwisseling.

In fase I kiezen we uit 2 soorten maaltijden:
Goede koolhydraatmaaltijden; volkorenpasta, zilvervliesrijst, peulvruchten e.d. en rauwe en gekookte groenten of
Vetmaaltijden; olijf-, noten-, zadenolie, kaas, ei, avocado's ed. en rauwe en gekookte groenten.

Het is belangrijk om er voor te zorgen dat van de 21 hoofdmaaltijden in één week er gemiddeld 10-15 bestaan uit goede koolhydraten.

Eet tijdens de maaltijden voldoende, het is de bedoeling dat er zich geen trek in "tussendoortjes" aandient.

In fase II worden de goede koolhydraten weer gecombineerd met vooral goede vetten.

Over de recepten

De recepten staan in volgorde van de seizoenen, te beginnen met het voorjaar. Een aantal recepten zoals brood zijn het hele jaar van toepassing.

De klassieke indeling; voorgerecht, hoofdgerecht, nagerecht, vindt ik moeilijk te hanteren: een zelfde gerecht, b.v. zeekraalspaghetti kan zowel een hoofd- als een bijgerecht zijn en kan ook als broodbeleg dienen, of bij de barbeque gegeten worden.

Voor de beginnende Montignac beoefenaar is in fase I belangrijk het onderscheid in **vette** en **koolhydraat** maaltijden: deze mogen immers in fase I niet gelijktijdig worden gegeten. Beide soorten maaltijden zijn elk weer wél te combineren met **zeer goede** of **neutrale koolhydraat** gerechten. Daarom zijn de recepten onderscheiden in goede koolhydraten, neutrale koolhydraten en vetten, zie pag. 16 t/m 22. In deze tabellen kan de gebruiker zoeken naar een middagmaal, een voorgerecht etc. en het daarbij behorende gerecht van het seizoen vinden. Willen we b.v. een vet middagmaal, dan vinden we op de pag. 20 t/m 22 de gerechten van het seizoen; in lente en zomer o.a. koolrabischotel, sperziebonensalade etc.

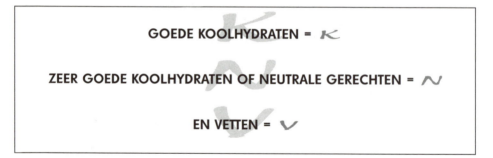

GOEDE KOOLHYDRATEN = ⌐

ZEER GOEDE KOOLHYDRATEN OF NEUTRALE GERECHTEN = ∿

EN VETTEN = ⌣

Een vierde groep – op pag. 23 – zijn een aantal vet/koolhydraat gerechten voor fase II. In fase II – de eigenlijke Methode Montignac – kunnen we uiteraard weer een vet voorgerecht combineren met een koolhydraat hoofgerecht enz.

Het aantal personen is soms ruim aangegeven (2-6) afhankelijk of het gerecht als een voorgerecht of als hoofdgerecht wordt gegeten.

DE *TIP* IS EEN HULP BIJ HET BEDENKEN VAN "WAT ZULLEN WE ETEN".

Ontbijtsuggesties ʞ

Het is heerlijk om de dag te beginnen met (seizoen)fruit, indien mogelijk met schil eten. Of vers geperst vruchtensap met vezeltjes. 20-30 Minuten wachten alvorens een goed koolhydraatontbijt te kiezen.

Het is erg lekker en leuk om **zelf hele graankorrels te pletten** tot vlokken met een molentje. De Natuurlijke Molen, telefoon 026 3812320 heeft een ruim assortiment om de geschiktste molen/wals uit te kiezen.

Met **volkoren(zuurdesem)brood** kun je heel veel combinaties maken, zie pag. 14.

Magere kwark of **-yoghurt** kun je eten met haver- rijst- boekweit- tarwe-vlokken en een scheutje **diksap**.
Diksap is het geconcentreerde sap van puur vers geperst fruit. Diksap is er in diverse smaken/combinaties ze zijn heerlijk om te gebruiken als zoetmiddel, maar wees zuinig met toevoegen en gebruik ze het liefst bij goede koolhydra-ten met een G.I.<50.

In de winter is **warme appelcompote** met een scheutje magere kwark en -yog-hurt met kaneel erover gestrooid ook een heerlijke combinatie.

Zilvervliesrijst of andere granen 's nachts gaargekookt in de hooikist of in de pan, dik ingepakt in een dikke jas, gemengd met jam van puur fruit en even-tueel magere zuivel.

Recepten voor ontbijt te vinden in dit boek;

Volkoren(zuurdesem)-broodbelegfantasie

Volkorenbrood beleggen met:
• Jams zonder toegevoegde suiker, honing of andere (kunstmatige) zoetmiddelen. Zelfgemaakt, of van het merk Montignac.

• Jam, zoals boven, op of vermengd met magere kwark of -yoghurt. Uitlekken van de zuivel is niet noodzakelijk voor de scheiding koolhydraat/vet, maar voorkomt dat het brood nat wordt én voor de "smeerbaarheid". Magere Duitse kwark heeft een stevige structuur en hoeft niet uit te lekken om als smeersel op brood te kunnen gebruiken.

• Appel- dadel- of perenstroop zonder toegevoegde (riet- of biet)suiker.

• Marmite.

• Groene tomatenjam met citroen, zelfgemaakt (groene tomatenbeleg ⚓) of van M. Montignac.

• Uitgelekte magere kwark of -yoghurt op smaak gebracht met:
- Zwitserse strooikaas 1% vet, uit de bekende kartonnen busjes,
- sambal/knoflook/gemberpoeder,
- fijngeknipte (verse)tuinkruiden,
- kruiden-, selderij-, of uienzout,
- in de zomer verse aardbeien/frambozen

• Geblancheerde gekiemde peulvruchten, gekiemde alfalfa/radijs/prei, gekiemde mosterdzaadjes of quinoa, gekiemde granen zoals tarwe, rogge, haver & kamut.

• Tuinkers/sterkers daikonkers.

• Radijs- /ramanas-/rettichplakjes bestrooid met (kruiden)zout.

• Sla, tomaat, komkommer, geraspte rauwe worteltjes, paprikareepjes, uitgelekte zuurkool, geraspte koolsoorten.

• Tomatenpuree met (kruiden)zout & Italiaanse- of Provençaalse kruiden.

• Kippenei-eiwit, vloeibaar of stijfgeslagen, gebakken zonder olie in anti-aanbakkoekenpan, op smaak gebracht met peper/zout.

• Zelfgeweekte gekookte gepureerde (witte of bruine) bonen, linzen of kik-kererwten, op smaak gebracht met shoyu/tamari/sambal of (kruiden)zout. *Goed kauwen, vooral bij koolhydraatmaaltijden, is een goede start om het voedsel te gaan verteren. Een opgeblazen buik kan dan tot het verleden gaan behoren.*

• Radijsjes in plakjes gesneden samen met hun mooie groene blaadjes.

• Champignons (grot-, kastanje-, mergel-,) in plakjes gesneden en gesmoord en uitgelekt + peper en zout.

• Knolselderij, meiraap & koolrabi, geraspt en besprenkeld met limoen- of citroensap.

• Gekookte granen: haver, gierst, kamut, tarwe, zilvervliesrijst vermengd met magere kwark of -yoghurt.

• In fase II al het bovengenoemde, maar ook;
- Pindakaas zonder suiker, tahin, andere notenpasta's.
- Sesamzaadstrooisel = gomasio.
- Chocoladehagelslag -vlokken (>72% cacao M.Montignac) carobeslag.
- (Geiten)kaas.
- Avocado gepureerd.
- Ei.

"Diervriendelijkste" eieren zijn; eieren van de gras ei-kip, EKO-kip en BD- kip. Het voer bestaat naast meel ook uit hele granen, de kippen krijgen groenvoer én het voer bevat geen kleurstoffen en antibiotica.
Het welzijn voor de dieren is ook heel wat beter dan de eieren van batterij-voliére- of scharrelkippen. de eerstgenoemde dieren hebben een buitenruimte en geen of beperkt afgebrande snavels. Bron Leven & laten leven, twee-maandelijks tijdschrift van de Nederlandse bond van vegetariers aug/sept 97. Tel 035-6834796. In dit verband wordt vermeld het 4-granen ei ontwikkeld met TNO en aanbevolen door Michel Montignac o.m. vanwege het 50% hoge-re gehalte aan onverzadigde vetzuren.
Nog iets over eieren. In dit boek komen enkele recepten met rauwe eieren voor. Het Staatstoezicht op de volksgezondheid adviseert dat het beter is om gerechten waarin onverhitte eibestanddelen zijn verwerkt, niet te serveren aan zieken herstellenden van ernstige kwalen, zwangere vrouwen, hoogbe-jaarden en aan kinderen onder de 5 jaar. Dit in verband met een mogelijke besmetting met Salmonella enteriditis. Hoewel met het gros van de eieren die in ons land worden verkocht geen problemen te verwachten is, is voorzorg op z'n plaats.

MATRIX VOOR GOEDE KOOLHYDRAATGERECHTEN ⱪ
(MET EEN GLYCEMISCHE INDEX VAN 50 OF MINDER)

*Deze recepten kunnen worden gecombineerd met de recepten uit
de matrix zeer goede koolhydraten ∿ en, in fase II, met de recepten
uit de matrix voor vetten ⱴ.*

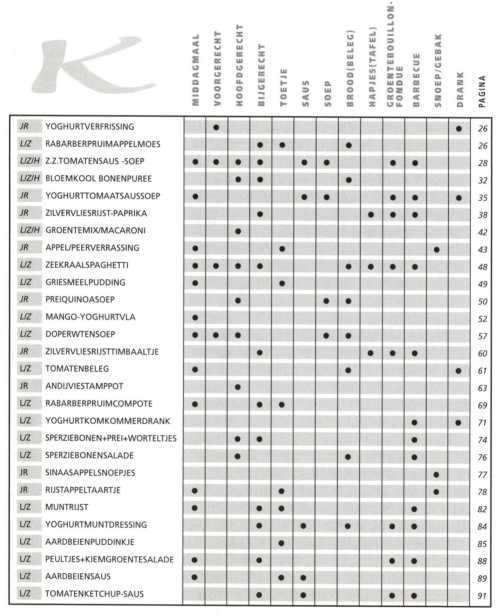

		MIDDAGMAAL	VOORGERECHT	HOOFDGERECHT	BIJGERECHT	TOETJE	SAUS	SOEP	BROOD (BELEG)	HAPJES (TAFEL)	GROENTEBOUILLON-FONDUE	BARBECUE	SNOEP/GEBAK	DRANK	PAGINA
JR	YOGHURTVERFRISSING		●											●	26
L/Z	RABARBERPRUIMAPPELMOES				●	●			●						26
L/Z/H	Z.Z.TOMATENSAUS -SOEP	●	●	●	●		●	●			●	●			28
L/Z/H	BLOEMKOOL BONENPUREE				●	●			●						32
JR	YOGHURTTOMAATSAUSSOEP	●					●	●	●			●		●	35
JR	ZILVERVLIESRIJST-PAPRIKA				●						●	●			38
L/Z/H	GROENTEMIX/MACARONI			●											42
JR	APPEL/PEERVERRASSING	●				●							●		43
L/Z	ZEEKRAALSPAGHETTI	●	●						●	●		●			48
L/Z	GRIESMEELPUDDING	●				●									49
JR	PREIQUINOASOEP		●					●	●						50
L/Z	MANGO-YOGHURTVLA	●													52
L/Z	DOPERWTENSOEP	●	●	●				●	●						57
JR	ZILVERVLIESRIJSTTIMBAALTJE				●						●	●	●		60
L/Z	TOMATENBELEG	●							●					●	61
JR	ANDIJVIESTAMPPOT			●											63
L/Z	RABARBERPRUIMCOMPOTE	●			●	●									69
L/Z	YOGHURTKOMMERDRANK											●		●	71
L/Z	SPERZIEBONEN+PREI+WORTELTJES			●	●							●			74
L/Z	SPERZIEBONENSALADE			●					●			●			76
JR	SINAASAPPELSNOEPJES												●		77
JR	RIJSTAPPELTAARTJE	●				●							●		78
L/Z	MUNTRIJST	●			●	●									82
L/Z	YOGHURTMUNTDRESSING				●		●		●			●	●		84
L/Z	AARDBEIENPUDDINKJE				●										85
L/Z	PEULTJES+KIEMGROENTESALADE	●			●						●	●			88
L/Z	AARDBEIENSAUS	●				●	●								89
L/Z	TOMATENKETCHUP-SAUS				●		●				●	●			91

JR=JAAR L/Z=LENTE/ZOMER L/Z/H=LENTE/ZOMER/HERFST H/W=HERFST/WINTER

		MIDDAGMAAL	VOORGERECHT	HOOFDGERECHT	BIJGERECHT	TOETJE	SAUS	SOEP	BROOD(BELEG)	HAPJES(TAFEL)	GROENTEBOUILLON-FONDUE	BARBECUE	SNOEP/GEBAK	DRANK	PAGINA
L/Z	AARDBEI-APPELSAUS	●				●	●						●		93
L/Z	RABARBERMOES				●	●							●		96
L/Z	WITTE BONEN+BROCCOLIPUREE+			●	●				●						99
JR	YOGHURTLIMOENIJS					●									102
L/Z	RETTICH+WORTELSALADE	●			●										103
L/Z	ASPERGES, GROENE+KLEEFRIJST			●	●										106
JR	QUINOAMENGSEL				●				●	●	●	●			107
JR	RIJSTPUDDINKJE	●				●									108
JR	RODE SALADE				●					●	●	●			110
JR	KIEMGROENTEPASTAMIX	●		●	●										110
L/Z	AARDBEI-MANGOSORBET												●		111
JR	DIKSAPTOEFJES					●							●		114
Z	RODE BESJESGELEI					●							●		119
JR	YOGHURTDILLEDRESSING-BELEG				●		●		●					●	120
JR	APPELRIJST					●							●		122
Z	RODE BESJES IN SINAASAPPELGELEI					●							●		123
Z	AARDBEI-RODE BESJESSORBET					●							●		125
Z	MANGOVERRASSING	●													126
JR	YOGHURTPUDDING -TAART OF -CAKE					●							●		127
Z/H	RETTICH+KOMKOMMER+WORTEL	●	●		●							●			130
Z/H	ALLEGAARTJE			●											131
Z/H	LINZENRIJSTPUREE	●	●		●					●	●	●			132
Z/H	MACARONISCHOTELFANTASIE	●		●	●			●	●						135
Z/H	LASAGNE MET STROOIKAAS			●											144
Z/H	RADIJSSALADE MET ALFALFA	●			●				●	●		●			145
Z/H	COURGETTE MET QUINOAMENGSEL		●		●					●		●			153
Z/H	BONENQUIMOAMÉLANGE	●			●				●						154
Z/H	SNIJBONEN+SPAGHETTI IN SAUS			●											161
JR	KAMUTBROOD	●							●						162
Z/H	RETTICH+KOMKOMMER+PASTA			●											164
JR	ANANASSNOEPJES												●		168
Z/H	AUBERGINERIJSTPUREE				●				●			●			171
JR	KWARK- OF YOGHURTTAART					●							●		171
JR	ANIJSRIJST	●				●									172
H/W	BONENSAUS-SOEP	●		●			●	●							176
H/W	STOOFPEERTJES	●			●	●								●	177
JR	SHOARMARIJST	●	●		●						●	●			181
JR	ROGGEPAP	●				●									182
JR	PEER MET EIWITSCHUIM					●							●		186

JR=JAAR   L/Z=LENTE/ZOMER   L/Z/H=LENTE/ZOMER/HERFST   H/W=HERFST/WINTER

17

		MIDDAGMAAL	VOORGERECHT	HOOFDGERECHT	BIJGERECHT	TOETJE	SAUS	SOEP	BROOD(BELEG)	HAPJES(TAFEL)	GROENTEBOUILLON-FONDUE	BARBECUE	SNOEP/GEBAK	DRANK	PAGINA
H/W	PADDESTOELENSAUS			•	•		•	•							187
JR	KARNEMELKPUDDINKJE				•										191
H/W	KNOLSELDERIJ/WITTEBONENPUREE			•	•				•						192
JR	FRUITSALADE												•		193
H/W	KOOLSCHOTEL UIT DE OVEN			•											197
JR	GEMBERSIROOP				•	•	•	•	•		•	•		•	205
JR	GRAPEFRUITSALADE		•												208
H/W	ZUURKOOLTAART	•	•	•						•					212
JR	LENTEHERFSTSALADE	•	•		•					•	•	•			213
JR	VOLKORENBROODCROUTONS				•			•	•	•	•				214
JR	SINAASAPPELRIJST	•			•								•		219
JR	SINAASAPPELRIJSTPUDDING	•			•								•		221
JR	APPELBROOD	•							•				•		224
JR	YOGHURTQUINOADRESSING				•		•		•						225
JR	LINZENKORIANDERPUREE	•			•				•						226
JR	PEULVRUCHTEN	•	•	•	•			•	•	•	•				228
JR	KIKKERERWTEN-KOEKJES	•	•	•	•					•	•				230
JR	KIKKERERWTEN+ROZENBOTTEL								•				•		231
JR	KIKKERERWTENPUREE		•						•	•		•			231
JR	VOLKORENBROODFANTASIE								•	•	•	•			232
H/W	SPRUITKNOLSELDERIJPUREE			•	•				•						237
JR	BROODJES								•	•			•		239
JR	SPROUTY IN VOLKORENBROOD	•			•				•						240
H/W	PEULVRUCHTENMIX	•		•					•						240
JR	LINZENBROOD	•	•	•	•				•		•				242
JR	AZIATISCHE KLEEFRIJST				•	•			•				•		245
JR	SNEEUWIJS												•		247
H/W	WITTE WINTERSLA				•					•	•				248
H/W	KOOLRABI+WORTELSALADE				•				•	•	•				248
H/W	BROOD VAN ROGGEMEEL	•							•						249
JR	RIJST+KIEMGROENTELEKKERS	•									•				253
H/W	GROENE SOEP	•		•				•							255
H/W	RODE KOOL			•											257

JR=JAAR   L/Z=LENTE/ZOMER   L/Z/H=LENTE/ZOMER/HERFST   H/W=HERFST/WINTER

MATRIX VOOR ZEER GOEDE KOOLHYDRATEN- OF NEUTRALE GERECHTEN 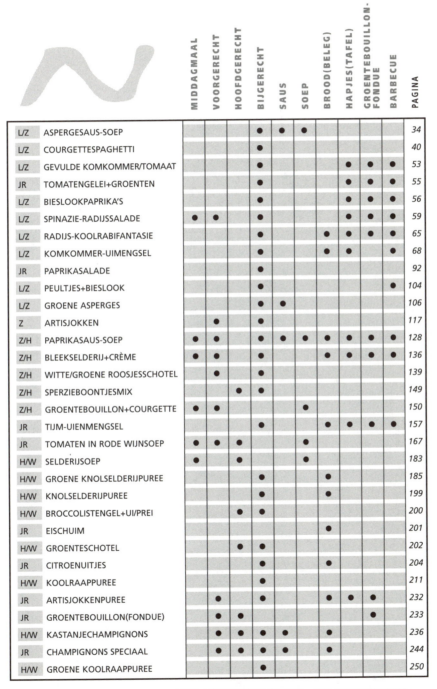 MET EEN GLYCEMISCHE INDEX VAN 15 OF MINDER.

Deze recepten kunnen worden gecombineerd met de recepten uit de matrix goede koolhydraten K en met de recepten uit de matrix voor vetgerechten V.

		MIDDAGMAAL	VOORGERECHT	HOOFDGERECHT	BIJGERECHT	SAUS	SOEP	BROOD(BELEG)	HAPJES(TAFEL)	GROENTEBOUILLON-FONDUE	BARBECUE	PAGINA
L/Z	ASPERGESAUS-SOEP				•	•	•					34
L/Z	COURGETTESPAGHETTI				•							40
L/Z	GEVULDE KOMKOMMER/TOMAAT				•				•	•	•	53
JR	TOMATENGELEI+GROENTEN				•				•	•	•	55
L/Z	BIESLOOKPAPRIKA'S				•				•	•	•	56
L/Z	SPINAZIE-RADIJSSALADE	•	•		•							59
L/Z	RADIJS-KOOLRABIFANTASIE				•			•	•			65
L/Z	KOMKOMMER-UIMENGSEL				•			•	•			68
JR	PAPRIKASALADE				•							92
L/Z	PEULTJES+BIESLOOK				•						•	104
L/Z	GROENE ASPERGES				•	•						106
Z	ARTISJOKKEN		•		•							117
Z/H	PAPRIKASAUS-SOEP	•	•		•	•	•	•	•		•	128
Z/H	BLEEKSELDERIJ+CRÈME	•	•		•			•	•		•	136
Z/H	WITTE/GROENE ROOSJESSCHOTEL		•		•							139
Z/H	SPERZIEBOONTJESMIX			•	•							149
Z/H	GROENTEBOUILLON+COURGETTE	•	•				•					150
JR	TIJM-UIENMENGSEL				•			•	•	•	•	157
JR	TOMATEN IN RODE WIJNSOEP	•	•	•			•					167
H/W	SELDERIJSOEP	•		•			•					183
H/W	GROENE KNOLSELDERIJPUREE				•			•				185
H/W	KNOLSELDERIJPUREE				•			•				199
H/W	BROCCOLISTENGEL+UI/PREI			•	•							200
JR	EISCHUIM							•				201
H/W	GROENTESCHOTEL			•	•							202
JR	CITROENUITJES				•			•				204
H/W	KOOLRAAPPUREE				•							211
JR	ARTISJOKKENPUREE		•		•			•	•	•		232
JR	GROENTEBOUILLON(FONDUE)		•	•						•		233
H/W	KASTANJECHAMPIGNONS		•	•	•	•		•				236
JR	CHAMPIGNONS SPECIAAL		•	•	•	•		•				244
H/W	GROENE KOOLRAAPPUREE				•							250

JR=JAAR **L/Z**=LENTE/ZOMER **L/Z/H**=LENTE/ZOMER/HERFST **H/W**=HERFST/WINTER

MATRIX VOOR VETGERECHTEN ∨

Deze recepten kunnen worden gecombineerd met de recepten
uit de matrix zeer goede koolhydraten ∿ en, in fase II, met de recepten uit
de matrix voor goede koolhydraten ⊄.

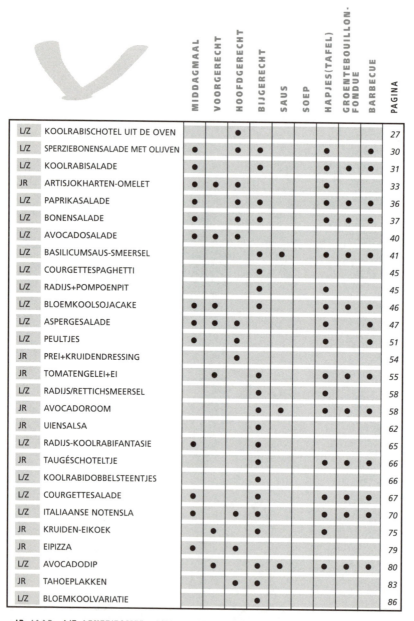

		MIDDAGMAAL	VOORGERECHT	HOOFDGERECHT	BIJGERECHT	SAUS	SOEP	HAPJES(TAFEL)	GROENTEBOUILLON-FONDUE	BARBECUE	PAGINA
L/Z	KOOLRABISCHOTEL UIT DE OVEN			●							27
L/Z	SPERZIEBONENSALADE MET OLIJVEN	●		●	●			●		●	30
L/Z	KOOLRABISALADE	●			●			●	●	●	31
JR	ARTISJOKHARTEN-OMELET	●	●	●				●			33
L/Z	PAPRIKASALADE	●		●	●			●		●	36
L/Z	BONENSALADE	●		●	●			●	●	●	37
L/Z	AVOCADOSALADE	●	●	●							40
L/Z	BASILICUMSAUS-SMEERSEL				●	●		●	●	●	41
L/Z	COURGETTESPAGHETTI			●							45
L/Z	RADIJS+POMPOENPIT			●							45
L/Z	BLOEMKOOLSOJACAKE	●	●		●			●	●	●	46
L/Z	ASPERGESALADE	●	●	●				●		●	47
L/Z	PEULTJES	●		●				●		●	51
JR	PREI+KRUIDENDRESSING			●							54
JR	TOMATENGELEI+EI		●		●			●	●	●	55
L/Z	RADIJS/RETTICHSMEERSEL				●			●			58
JR	AVOCADOROOM				●	●		●	●	●	58
JR	UIENSALSA				●						62
L/Z	RADIJS-KOOLRABIFANTASIE	●			●						65
JR	TAUGÉSCHOTELTJE				●			●	●	●	66
L/Z	KOOLRABIDOBBELSTEENTJES				●						66
L/Z	COURGETTESALADE	●			●			●	●	●	67
L/Z	ITALIAANSE NOTENSLA	●		●	●						70
JR	KRUIDEN-EIKOEK		●		●			●			75
JR	EIPIZZA	●		●							79
L/Z	AVOCADODIP		●		●	●		●	●	●	80
JR	TAHOEPLAKKEN			●	●						83
L/Z	BLOEMKOOLVARIATIE			●							86

JR=JAAR   L/Z=LENTE/ZOMER   L/Z/H=LENTE/ZOMER/HERFST   H/W=HERFST/WINTER

		MIDDAGMAAL	VOORGERECHT	HOOFDGERECHT	BIJGERECHT	SAUS	SOEP	HAPJES(TAFEL)	GROENTEBOUILLON-FONDUE	BARBECUE	PAGINA
JR	TAHOE-TOMAATDIP		•		•			•	•	•	87
Z/H	AUBERGINESURPRISE			•							90
JR	BIESLOOK-SOJASMEERSEL				•			•	•	•	94
JR	KAASSOEP		•	•							95
JR	ARTISJOKBODEMS+TOMAAT		•		•			•			97
JR	TAHOE-TOMAATSAUS				•	•		•			98
JR	UI GEVULD MET KAAS			•							101
JR	KERSTOMAATSPIESJES				•			•		•	104
JR	LAVENDELVINAIGRETTE				•	•				•	107
L/Z	KOMKOMMERSAUS				•	•				•	109
L/Z	KOMKOMMERSOEP	•	•	•							113
JR	FRAMBOOS-WALNOOTVINAIGRETTE				•	•		•		•	117
JR	TAHOE GEMARINEERD			•							121
L/Z	KOMKOMMERBOLLETJES							•		•	124
JR	PISTACHE-ROOMSAUS				•	•		•	•	•	124
JR	EIGELEI		•					•			126
Z/H	BROCCOLI-NOTENMIX	•		•							129
Z/H	COURGETTE-OMELET	•		•							133
Z/H	GROENTEN+KRUIDENSCHOTEL	•			•						134
Z/H	AUBERGINESOEP	•	•	•			•				137
Z/H	AVOCADO-BLOEMKOOLFANTASIE	•	•			•					138
Z/H	VENKELTAARTJE			•							141
Z/H	PAPRIKASAUS	•	•		•	•	•	•	•	•	142
Z/H	SELDERIJSALADE+WALNOTEN	•			•					•	143
Z/H	KLEURIGE OMELET	•		•	•						146
Z/H	BROCCOLIBROOD		•	•	•						146
Z/H	VENKELSALADE	•			•			•		•	147
Z/H	RETTICH-RADIJS MET OLIJVEN				•						148
Z/H	PAPRIKARINGEN IN DE OLIE		•		•			•			151
Z/H	SELDERIJENSEMBLE				•						151
Z/H	BLEEKSELDERIJSALADE	•	•		•			•			152
Z/H	AUBERGINEPLAKKEN			•							155
Z/H	PAPRIKASALADE+ZURE ROOM				•			•		•	156
Z/H	COURGETTE+GROENTEN				•						158
Z/H	KOOLRABI-COURGETTESALADE	•			•					•	159
Z/H	COURGETTEBOLLETJES				•			•		•	160
Z/H	BLEEKSELDERIJ IN WALNOTENOLIE				•			•		•	160
JR	GEITENKWARK+DILLE/MAANZAAD				•	•		•	•	•	163
Z/H	COURGETTE-BLEEKSELDERIJ				•						165

JR=JAAR L/Z=LENTE/ZOMER L/Z/H=LENTE/ZOMER/HERFST H/W=HERFST/WINTER

21

		MIDDAGMAAL	VOORGERECHT	HOOFDGERECHT	BIJGERECHT	SAUS	SOEP	HAPJES(TAFEL)	GROENTEBOUILLON-FONDUE	BARBECUE	PAGINA
Z/H	TOMATEN GEMARINEERD				●			●			166
JR	GEITENKWARKNAISE				●		●	●	●	●	169
JR	OLIJVEN IN EIROOM		●	●	●			●		●	170
JR	SAMBAL					●		●	●	●	173
JR	SOJABLOKJES			●							174
H/W	AVOCADO-PREICOMBINATIE	●	●								175
H/W	MOZZARELLA+SPINAZIESALADE	●	●		●			●			179
JR	PREISCHEUTEN+GEITENKAAS		●					●			180
H/W	SPRUITJES+KNOFLOOK, UI, KAAS			●	●						184
JR	OLIJVEN-AVOCADOBOTER	●	●		●	●		●			185
H/W	PREI MET KERRIESAUS			●							189
H/W	TAHOE OP RAAPSTEELTJES	●	●	●				●			190
H/W	SOJAKAAS-SPRUITJESMIX			●							194
JR	AMANDELEN ANDERS							●			198
JR	EISCHUIM							●			201
JR	GEITENKAASFONDUE			●							206
H/W	SOJACHIPJES				●			●			207
H/W	KNOLSELDERIJDOBBELSTEENTJES				●						210
H/W	KNOLSELDERIJDOBBELSTEENTJES SP				●						210
H/W	SPRUITJES+EIVARIATIE		●	●				●			215
H/W	EIDOOIER	●	●		●			●			217
H/W	BOERENKOOLSLA	●			●						219
H/W	SPRUITEN+HAZELNOTEN/AMANDELEN		●	●							220
JR	SOJACRÈME				●		●	●	●	●	223
H/W	BOERENKOOL+ROOM			●							227
H/W	KNOLSELDERIJ-SPRUITTAART		●	●	●			●			235
H/W	WITLOFKAASSCHOTEL			●							238
JR	CITROENROOM				●		●	●	●	●	244
H/W	VENKEL+RODE UI			●	●						246
H/W	VENKELSALADE				●			●			246
H/W	KOOLSALADE	●			●						251
H/W	WINTERPOSTELEIN/AVOCADOSALADE	●	●	●							252
JR	KOFFIECREME							●			254
JR	EIPOFFERTJES		●		●			●	●		256

JR=JAAR   L/Z=LENTE/ZOMER   L/Z/H=LENTE/ZOMER/HERFST   H/W=HERFST/WINTER

22

MATRIX VOOR COMBINATIE–OF FASE II GERECHTEN

		MIDDAGMAAL	TOETJE	SNOEP\GEBAK	BROODBELEG	DRANK	PAGINA
JR	POMPOENPITLEKKERNIJ			•			30
JR	CHOCOLADE/CAROBVLA-IJS		•	•			39
JR	APPEL+NOTENPASTA	•		•			44
L/Z	ZEEKRAALSALADE	•					54
JR	KANEEL-/GEMBERIJS		•	•			62
JR	APPELCRUNCH	•	•	•			72
JR	CHOCOLADE/CAROBFANTASIE			•	•		81
JR	CHOCOLADE/CAROBDRANK		•			•	100
L/Z	AARDBEIBONBONS		•	•			105
L/Z	ZEEKRAALWORTELRAUWKOST	•					112
JR	DIKSAPTOEFJES+ROOM		•	•			114
Z	BESJESTAART	•	•	•			115
Z	KARNEMELKSOJAROOMDRANK					•	118
JR	CHOCOLADE/CAROBSAUS		•	•			123
Z/H	DADELS GEVULD		•	•			140
JR	CHOCOLADEPASTA 3X				•		188
JR	WAFELSNOEP 3X			•			188
JR	CHOCOLADE/CAROBPUDDING		•	•			196
JR	SOJAROOMPARFAIT			•			216
JR	AMANDELMARSEPEIN-ANDERS			•			218
JR	AMANDEL-DIKSAPSNOEPJES			•			222
JR	RIJST-ROOMVLAAITJE	•	•	•			234
JR	SOJAROOMDROOM		•	•			238
JR	AMANDEL/NOTEN MET MUTSJE			•			241
JR	PANNENKOEKEN	•	•	•			243

JR=JAAR   L/Z=LENTE/ZOMER   L/Z/H=LENTE/ZOMER/HERFST   H/W=HERFST/WINTER

RECEPTEN

Yoghurtverfrissing ⟋

2-4 Personen

Dit drankje is ijskoud het lekkerst, 500 ml magere yoghurt loskloppen en er heel geleidelijk 100-150 ml ijskoud water aan toevoegen.

Op smaak brengen met één eetlepel gedroogde munt of 3 eetlepels verse fijn-geknipte muntblaadjes en een snufje zout.

LENTE – ZOMER

Rabarber-pruim-appelmoes ⟋

500 ml

500 gram rabarber

250 gram zoete pruimen

1-2 (jonagold)appels

Van de rabarber de lelijke uiteinden verwijderen, wassen, in stukjes van 2-3 cm snijden en in een grote pan doen.

Pruimen wassen, halveren, pitten verwijderen en bij de rabarber in de pan leggen.

Appel(s) schillen, klokhuis verwijderen, in stukken snijden en ook in de pan doen. Met het deksel op de pan 15-20 minuten zachtjes laten pruttelen, af en toe roeren.

Boven een schaal de moes door een (roer- of grove)zeef wrijven, af laten koe-len en in de koelkast door en door koud laten worden.

Deze moes is heerlijk om zo te eten, maar ook lekker op volkorenbrood of bij (ronde)zilvervliesrijst, als middagmaal of toetje.

De moes kan ook langer worden bewaard, spoel dan 1-2 glazen jampotjes met twist-offdeksel om met kokendheet sodawater. Breng de moes na het zeven nog even aan de kook en schenk dan over in de potjes die op een houten plankje staan, draai de dekseltjes er stevig op en laat afkoelen. De moes kan ook worden ingevroren.

Koolrabischotel uit de oven ⌄

2 Personen

2 koolrabi's
1 eetlepel oregano of 1 eetlepel Italiaanse- of Provençaalse kruiden
100 gram geraspte (geiten)kaas

De koolrabi's schillen, in 1 cm dikke plakken verdelen en in weinig water in een kwartiertje gaarkoken.
De oven voorverwarmen op 200°C.
De koolrabi in een zeef of vergiet, die boven een maatbeker hangt, afgieten en laten uitlekken.
Van het kookvocht 50 ml terugdoen in de pan, de kaas en de kruiden erbij scheppen en de kaas al roerend laten smelten.
Breng de "kaassaus" eventueel nog op smaak met peper.
Leg de koolrabi dakpansgewijs in een vuurvaste schaal en laat, in het midden van de oven, in 20 minuten goudbruin worden.

Lekker met beetgaar gekookte groenten zoals bloemkool, broccoli, sperzieboontjes, knolselderij(puree) ⚓ enz.

TIP: ⌄ Avocado met walnoten, fijngesneden bleekselderij en rode en/of gele paprikablokjes op een bed van verschillende soorten sla.

Zoetzure tomatensaus of -soep ⤳

Onderstaande hoeveelheid ingrediënten geeft ongeveer 500 ml saus.

1 kg in grove stukken gewassen en gesneden (soep)tomaten
1 in ringen gesneden ui
2 eetlepels appeldiksap
2 eetlepels ume-su, of citroensap, of azijn en wat zout
1 laurierblaadje
(1 theel kaneel)
(1 theel laos)
(1 theel gemberpoeder of een stukje gemberwortel)
(snufje kruidnagel)
Tartex biobin, naar wens voor gebonden saus/soep

Doe de tomaten en de ui in een pan, plaats de deksel erop en laat 30 minuten op niet te hoog vuur pruttelen.
Pureer met de staafmixer of in de keukenmachine en wrijf, naar wens, de tomatenmassa ook nog door een zeef die boven een pan hangt.
Zet de pan op de warmtebron en voeg de overige ingrediënten aan de tomaten toe laat dit alles, in 30 tot 40 minuten, koken op een niet te hoog vuur en met het deksel op de pan.
Bedenk, van tevoren, bij welk gerecht deze saus/soep gebruikt gaat worden; laat naar aanleiding hiervan de kaneel, de laos of de gember weg en voeg eventueel een (paar) uitgeknepen teentjes knoflook toe tijdens het koken.
Als er een gebonden saus of soep gewenst is, laat dan het tomatensap eerst afkoelen en bindt met de aangegeven hoeveelheid op de verpakking van de biobin.

Heerlijk als warme soep op een koude dag en op een warme dag ijskoud.

Als saus komt deze creatie lauwwarm of heet het best tot zijn recht.

Zowel de saus als de soep is, als complete maaltijd, heerlijk met volkorenbrood.

Eventueel een paar volkorenboterhammen roosteren, in dobbelsteentjes snijden en overdoen in een schaaltje, zodat ieder naar believen wat van deze "croutons" over de soep kan strooien.

De saus combineert heerlijk bij een groentebouillonfondue ⚓, waarbij allerlei groenten in kokende bouillon worden gedoopt en gekookt en vervolgens in de tomatensaus gedipt.

De saus is óók verrukkelijk bij een witte bonenschotel, gekookte granen zoals zilvervliesrijst, haver, kamut of quinoa, beetgaar gekookte volkorenpasta samen met beetgaar gekookte groenten: broccoli, bloemkool, sperzieboontjes, gestoofde prei of courgette of een rauwkostsla.

De saus/soep kan, na afkoeling, langere tijd bewaard worden in met kokend-heet sodawater omgespoelde potten met twist-off deksel, het is dan ook een leuke bezigheid om alvast een wintervoorraadje aan te leggen. Vergeet niet om op een etiketje de naam/ingrediënten van datgene wat in het potje zit te schrijven.

Pompoenpit-lekkernij
(fase II)

50 gram groene pompoenpitten
100 gram chocolade- (>70% cacao) of carobtablet

Leg een stuk ongebleekt bakpapier klaar op een snijplank of een plat bord.
Rooster de pompoenpitten op laag vuur in een droge koekenpan tot de schilletjes knappen.
Doe in een pannetje met dikke bodem 2-3 eetlepels water en laat dit aan de kook komen. Smelt de in kleine stukjes gebroken chocolade op heel laag vuur in het water.
Roer de pompoenpitten bij de gesmolten chocolade en strijk dit mengsel met een vochtige spatel snel uit over het bakpapier. Dit uitsmeren hoeft niet glad of netjes te worden, als het maar dun is.
Laat in de koelkast hard worden. Snijd of breek voor het serveren in brokjes.

LENTE – ZOMER

Sperziebonensalade met olijven ∨
2-4 Personen

250 gram sperziebonen
1 eetlepel olijfolie
1 eetlepel Provençaalse kruiden
1 teen knoflook
stuk (20 cm) komkommer
150-200 gram gemengde olijven zonder pit
(geiten- of schapenfeta)

Maak de bonen schoon, breek ze en kook ze in weinig water in 10 minuten beetgaar.
Meng de olie met de kruiden en pers de knoflook erbovenuit.
Was of schil de komkommer, snijd hem in stukken van 3 cm en boor er, met een appelboor, de zaadlijst uit. Schaaf of snijd in dunne plakjes.
Meng de bonen door de olie, schep de olijven erbij en doe over op een schaal. Garneer met de komkommer en eventueel de feta.
Heerlijk als complete (tussendemiddag)salade op een zomerse dag, maar ook smakelijk als aanvulling bij een vetmaaltijd of barbecue ⚓.

Koolrabisalade ⌄

2-4 Personen

500 gram koolrabi
2 sjalotjes
scheut olijfolie
1 theelepel kerriepoeder
3 eetlepels kwarknaise ⚓, mayonaise of tofunaise
1 theelepel gemberpoeder of versgeraspte gemberwortel
100 gram ongebrande gemengde noten

De koolrabi wassen of schillen en grof raspen en de sjalotjes pellen en fijn-snipperen.

In de koekenpan de olie verhitten, de sjalotjes zachtjes fruiten en de kerrie erover strooien.

De gember mengen met de mayonaise/tofunaise en de gefruitte sjalotjes erdoor roeren.

Eventueel op smaak brengen met zout.

De noten grof hakken en mengen met de koolrabi, de "gembernaise" erdoorheen roeren of er apart bij serveren.

Als compleet middagmaal op een bedje van sla of als bijgerecht bij een hoofd-maaltijd.

TIP: ⌄ Broccoliroosjes en radijsjes, roergebakken in de olijfolie en gemengd met gebroken noten. Aangevuld met salade van tomaat, komkommer en ei.

Bloemkool-witte bonenpuree ᴋ

2-3 Personen

400 gram bloemkool
(1 teen knoflook in stukken)
400 gram zelfgeweekte & gekookte witte bonen
(kruiden)zout/nootmuskaat

Maak de bloemkool schoon en snijd in stukken, kook in weinig water in 15-20 minuten gaar met eventueel de knoflook. Laat in de laatste 5 minuten de bonen meekoken, Giet af boven een vergiet en laat uitlekken.
Pureer met de keukenmachine/staafmixer, warm nog even op en maak op smaak met zout/nootmuskaat.

Heerlijk met in ruiten gesneden, gekookte snijbonen, gemixt met witte bonen, maar ook lekker als basis voor een stamppot ⚓ met andijvie, (winter)raapstelen, spinazie....

TIP: ᴋ Volkorenbrood belegd met dungeschaafde plakjes ramanas/rettich en ruim bestrooid met fijngeknipte tuinkers.

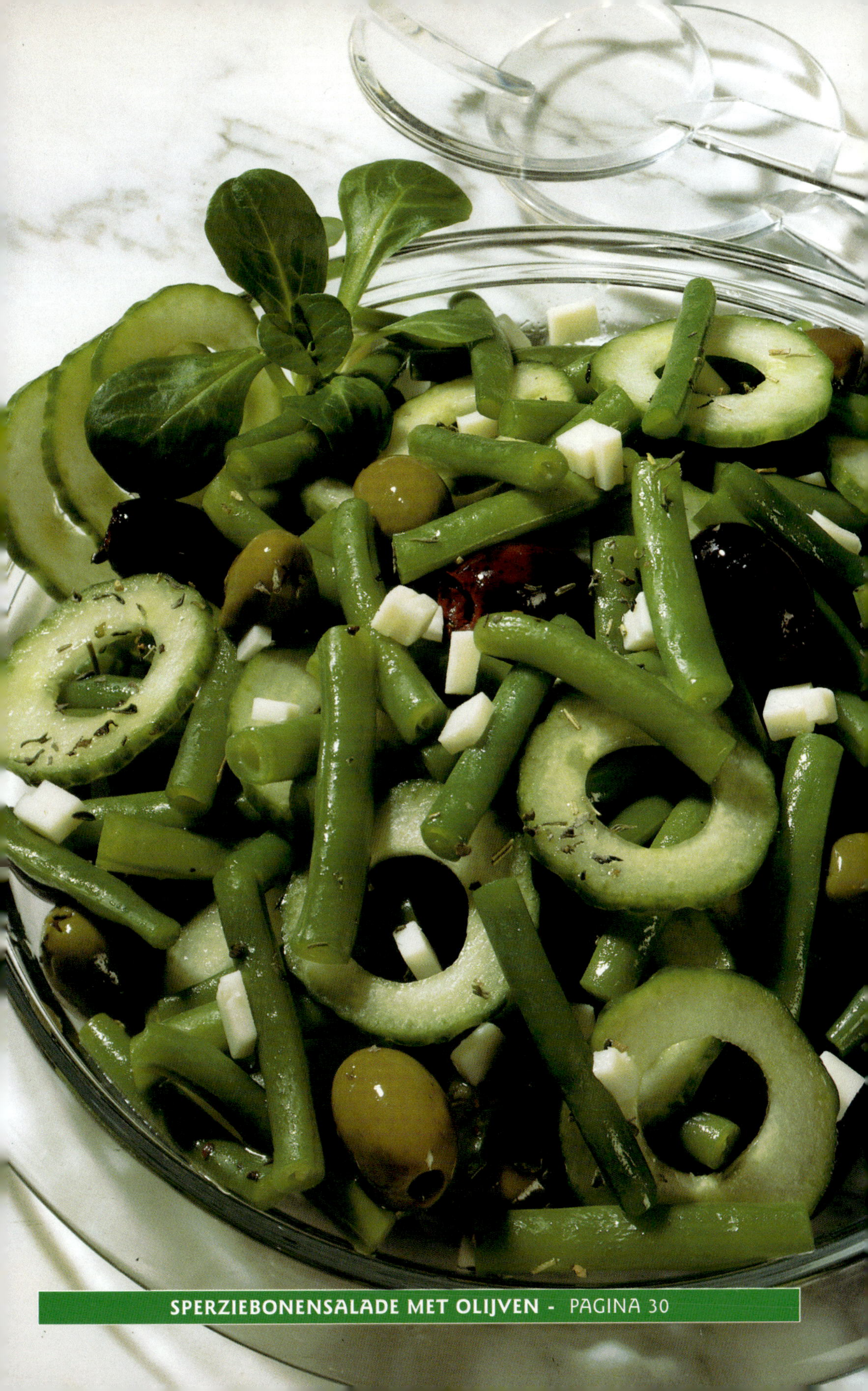

SPERZIEBONENSALADE MET OLIJVEN - PAGINA 30

PAPRIKASALADE - PAGINA 36

Artisjokharten-omelet ⌄

2-6 Personen

400 gram artisjokharten (blik)

4 eieren

3 eetlepels (soja)room of water

100 gram geraspte (geiten)kaas

(kleine blokjes rode paprika)

Artisjokharten afgieten, even droogdeppen met keukenpapier en in vieren snijden.

De eieren loskloppen met room/water en de kaas en artisjokhartstukken/ paprika erdoor mengen.

Naar wens, afhankelijk van de pittigheid van de kaas, nog op smaak brengen met zout/peper.

In een grote koekenpan een scheut olijfolie verhitten en het eimengsel in de pan laten glijden.

Met het deksel op de pan en op een middelmatig vuur, in 10 minuten het ei laten stollen.

De omelet op een bord laten glijden, keren en weer terug doen in de pan om de onderkant ook mooi bruin te bakken in 2-3 minuten.

Lekker als middagmaal maar ook een origineel voorgerecht. Eveneens een prima hoofdgerecht aangevuld met een rauwkostsalade+notenolie en beetgaar gekookte seizoengroenten.

TIP: *Fase II* Zilvervliesrijstwafel belegd met basilicumsmeersel ⚓ en daarop nog een sneetje donker roggebrood zonder toegevoegde suiker.

Aspergesaus-soep ∿

2-4 Personen

1 kilo witte soepasperges
1-2 groentebouillonblokjes of -pasta of -poeder

Was de asperges en schil ze. Doe de schillen in een grote pan samen met 3 cm van de harde onderkant van de asperges, 500 ml water en de bouillon. Kook dit ongeveer 30 minuten. Giet af boven een andere pan. Verdeel inmiddels de asperges in stukken, houd voor soep de kopjes van de asperges apart, en kook de aspergestukken in 20 minuten zacht in het kookvocht van de schillen.
Pureer met de keukenmachine/staafmixer.
Kook de kopjes, in 5 minuten zacht, in de aspergesoep.

↖ Deze saus is heerlijk bij volkorenspaghetti/-macaroni, soba, zilvervlies-rijst of andere gekookte granen en kortgekookte groene asperges.

TIP: ↖ In groentebouillon gekookte quinoa met verse doperwtjes/capucij-ners + gestoofde prei met sojabrokjes.

TIP: ↖ Toetje van rabarber gekookt in appel-aardbeidiksap.

Yoghurt-tomaatsaus-soep ⌐

2-4 Personen

Wachttijd 1 uur voor het laten uitlekken van de yoghurt.

250 ml magere yoghurt
500 gram rijpe (soep)tomaten
smaakmakers naar eigen smaak, suggesties aan het eind van het recept

Schep de yoghurt in een zeef of vergiet die met dubbelgevouwen keukenpapier bekleed is en laat in 1 uur (of wat langer) de meeste wei eruit lekken.
Was de tomaten, snijd ze in vieren en pureer ze met de keukenmachine of staafmixer.
Wrijf de puree door een grofmazige zeef, die boven een kom hangt, om de pitjes en velletjes achter te houden.
Roer de tomaat door de inmiddels uitgelekte yoghurt en maak op smaak met één, of een variatie, van de volgende smaakmakers;

zout/peper/tamari/shoyu
ume-su
2-3 theelepels sambal
1 theelepeltje gember-/laospoeder
garneren met fijngeknipte groene tuinkruiden

Heerlijk als "koude soep" op een warme dag in de zomer. De yoghurt-tomaat kan ook warm worden gegeten door op een heel laag vuurtje te warmen, niet laten koken! Als saus lekker over volkorenpasta/soba,of gekookte granen aangevuld met beetgaar gekookte groenten.

Oók lekker is de volgende bereiding. Snipper een paar kleine uitjes en smoor deze, samen met in kleine blokjes gesneden gele en rode paprika en heel klein gesneden stukjes bleekselderij, 10-15 minuten in een anti-aanbakhapjespan. Voeg er dan, scheutje voor scheutje en onder goed roeren, de yoghurt-tomaatsaus aan toe. Op een zacht pitje warmen, maar niet laten koken. Serveer als saus bij diverse groenten met volkorenpasta, peulvruchten, zilvervliesrijst of een mix van granen.

TIP: ⌐ Gekookte in ruiten gesneden snijbonen met 5 minuten meegekookte gele/rode paprika, uitgeperste knoflook en (in groentebouillon gekookte) granen en kastanje- of mergelchampignons ⚓.

Paprikasalade ⌄
2-4 Personen

Wachttijd enkele uren.

5 eetlepels (noten)olie
2 eetlepels citroen- of limoensap
1 eetlepel Provençaalse kruiden
(peper/zout, knoflook)
1 rode en 1 gele paprika
10-15 (kers)tomaatjes
1 komkommer
(veldsla/struikje witlof)

Vermeng, in de schaal waarin de salade wordt opgediend, de olie met het sap en de kruiden en eventueel peper/zout en pers er een teentje knoflook bovenuit. Was de paprika's, snijd ze in vieren, verwijder de zaadlijsten en snijd de paprika's in reepjes, halveer de tomaatjes en snijd de gewassen of geschilde komkommer in kleine blokjes. Als het een grote komkommer is neem dan een halve en verwijder de zaadlijst.

Schep de groenten door de olie en zet gedurende enige tijd weg op een koele plaats.

Voeg, naar keuze vlak voor het serveren, een handje (veld)sla/of in reepjes gesneden rauwe witlof toe aan de paprikasalade.

Deze salade is heerlijk als complete (middag)maaltijd, eventueel aangevuld met in zeer smalle reepjes gesneden "meegemarineerde" tahoe/tofu, hardgekookte (kwartel)eitjes en/of wat stukjes (geiten)kaas.

Als bijgerecht past het goed bij gegrilde aubergineplakken ⚓ of krokant gebakken sojachipjes ⚓.

Gele(boterbonen) of groene (sperziebonen)salade ⌄
2-3 Personen

500 gram gele of groene (of een mix) sperziebonen
1 ui of 1 prei
1 rode, 1 gele en 1 groene paprika
5 eetlepels sesamolie
Provençaalse kruiden
(knoflook)
3-5 eetlepels sesamzaadjes

Maak de bonen schoon, was en breek ze en kook de bonen, in weinig water in 10-15 minuten, beetgaar. Doe ze over in een zeef of vergiet en overspoel ze met koud water.

Pel de ui en snijd in ringen of snijd de prei in ringen en was deze.

Was de paprika's of schil ze met een (scherpe!) dunschiller, verwijder de zaad-lijsten en snijd in reepjes.

Meng de olie met de kruiden en pers er eventueel een teentje knoflook boven-uit. Schep de groenten door de olie en laat even marineren.

Bestrooi vlak voor het serveren met de sesamzaadjes.

Heerlijk als maaltijdsalade naar wens nog aangevuld met plukjes van ver-schillende slasoorten of in fase II aangevuld met volkoren(pita)brood.

Zilvervliesrijst-paprika-hapje ᴷ
3-10 Personen

Wachttijd 1-2 uur.

150 gram zilvervliesrijst
groentebouillonblokje, -pasta of -poeder
2 theelepels sambal, of gebruik hot peppersauce
1 theelepel laos
1 theelepel kurkuma = ook koenjit of geelwortel
1 teentje knoflook
300 gram gele/groene paprika's
5 gram agar-agar poeder

Kook de rijst in de aangegeven tijd , samen met de bouillon, sambal, laos en kurkuma gaar. Pers de knoflook erbovenuit.
Was de paprika's, verwijder de zaadlijsten en verdeel in kleine blokjes.
Kook de paprika in ongeveer 150 ml water gaar, in de laatste 10 minuten dat de rijst nog op staat. Giet af in een zeef die boven een pan hangt. Voeg hier de agar-agar aan toe en laat dit 2-3 minuten koken. Schep de paprika bij de agar-agar en roer er vervolgens ook de rijst weer door.
Doe over in een (cake)vorm, druk goed aan en laat in 1-2 uur afkoelen en opstijven alvorens te storten.

Serveer, niet te koud en in plakjes gesneden of in vierkantjes aan prikkertjes, bij een maaltijd of als hartig hapje bij een glaasje wijn.

Chocolade/carobvla-ijs

(fase II)

4-6 Personen

100 gram chocolade- (> 70% cacao) of carobtablet
200 ml sterke (caffeinevrije) koffie of koffievervanger
250 ml slagroom
1 ei gesplitst
2-3 eetlepels sojaroom

Breek de chocolade in stukken en doe in een pan bij de koffie, laat de chocolade smelten en schenk er dan 200 ml slagroom bij. Verwarm en roer van het vuur af de eidooier en de sojaroom erdoor. Zet de pan in een schaal met koud water om af te laten koelen. Of gebruik dit als warme vla!
Klop het eiwit stijf met een snufje zout en schep de afgekoelde chocolade/carobmassa erdoor.
Doe over in een vorm of verschillende kleine vormpjes en plaats in de vriezer*.

Na een klein uurtje al heerlijk om te eten als chocoladeroomparfait! Maar na langere tijd in de vriezer ook lekker als ijsje, haal dit (diepgevroren)ijs ongeveer 15 minuten vóór gebruik uit de vriezer, de toefjes, hieronder beschreven, kunnen op het laatste moment op de porties worden gezet.

* *Klop 50 ml slagroom stijf (met misschien nog een restje chocolade/carobvla uit de pan), spuit hiervan toefjes en zet deze op ongebleekt bakpapier in de vriezer. Als er al bekend is hoeveel personen dit ijsje gaan eten, maak dan één toefje per persoon.*

Courgettespaghetti $\sim$

2-4 Personen

1-2 niet te grote courgette(s)

Breng in een grote pan ruim water aan de kook.

Was de courgettes, trek ze met een sambal- of komkommertrekker overlangs in lange spaghetti-achtige slierten of snijd ze met een mes (of kaasschaaf) in plakken en vervolgens in slierten.

Leg de slierten 2-4 minuten in het kokende water, doe over in een vergiet, laat uitlekken en dien direct op.

Avocadosalade $\vee$

2-4 Personen

5 eetlepels walnoten- of sesamolie
1 eetlepel citroen- of limoensap
1 eetlepel ume-su
(1-2 teentjes knoflook uit de pers)
enkele eetlepels grofgehakte walnoten
2-3 stengels bleekselderij
2-3 (vlees)tomaten
1 zachte avocado

Maak een sausje van de olie, het citrussap, de ume-su en de eventuele knoflook.

Snijd de tomaten in stukken, schil de avocado en snijd hem in grove stukken.

Ontdraad de bleekselderijstengels, snijd ze in de lengte doormidden en vervolgens in heel smalle stukjes.

Doe de groenten over in een schaal en roer de saus erdoorheen.

Knip er naar keuze nog wat bieslook boven en zet de schaal in de koelkast.

Strooi er, vlak voor het serveren, de walnoten over.

Heerlijk als complete maaltijd, eventueel aangevuld met courgettespaghetti ⚓ $\sim$ of $\vee$ en gemengde, in plukjes verdeelde, verschillende slasoorten.

Basilicumsaus/smeersel ⌄

150 gram tahoe/tofu
½ bosje(10 stengels) verse basilicum
ongeveer 150 ml sojaroom
(kruiden)zout

Haal de sojakaas uit de verpakking en laat, op een paar keer dubbel gevouwen keukenpapiertje wat uitlekken, of knijp het meeste vocht er tussen beide handen even uit.

Doe, in stukken gesneden, over in de beker van de staafmixer of in de keukenmachine, samen met de in stukken geknipte basilicum en pureer gedurende enkele minuten tot een mooi homogeen mengsel.

Voeg er naar keuze meer of minder sojaroom aan toe dan de aangegeven hoeveelheid, het hangt ervan af of het mengsel bestemd is als saus (meer sojaroom) of in fase II als smeersel op volkorenbrood -knäckebröd of zilvervliesrijstwafel (dan wat minder dan 150 ml room gebruiken).

Maak pittig op smaak af met zout.

Doe het mengsel over in een schaaltje of, als het niet gelijk wordt gebruikt, in een met heet water omgespoeld jampotje met twist-off deksel. Houd wel de vervaldatum op de verpakking van de soja in de gaten.

Als saus heerlijk bij een groentebouillonfondue ⚓ of een barbecue ⚓, maar ook bij gegrilde aubergine ⚓, beetgaar gekookte sperzieboontjes, courgettespaghetti ⚓ ∿ of ⌄, roerei, tomatensla of een mixture van diverse soorten sla.

TIP: ⌐ Volkoren(zuurdesem)brood met hartige peulvruchtenpuree ⚓.

41

Groentemix met macaroni ⸝

4 Personen

500 gram volkorenmacaroni

1 ui

1 prei in ringen gesneden en daarna gewassen

200 gram sperzieboontjes gewassen en gebroken

half bloemkooltje in kleine roosjes verdeeld

1 bosje radijs

1 courgette

Kook de macaroni in de aangegeven tijd, in groentebouillon van een -blokje -pasta of -poeder of in water, gaar. Giet af in een zeef of vergiet, maar vang het kookvocht wel op. Spoel de macaroni af met koud water.

"Roerbak" de ui, de prei, de sperzieboontjes en de bloemkoolroosjes in een anti-aanbakwok of -hapjespan, op een laag vuur. Schep voortdurend om en schenk er na ongeveer 10 minuten 100-200 ml van het macaroni-kookvocht bij. Laat dit alles met het deksel op de pan, 10 minuten zachtjes koken.

Was de courgette en snijd in kleine blokjes, maak de radijsjes schoon, was ze en snijd ze in vieren.

Doe de laatste 5 minuten de courgette en radijs bij de groenten in de pan.

Schep, vlak voor het serveren, de macaroni erdoor en warm samen nog even goed door.

Lekker met een sla-komkommersalade met magere yoghurtsaus.

Appel- of peerverrassing* 🗝

2-4 Personen

zilvervliesrijsttaartbodem, zonder meegekookte appel van pag 122
100 ml aangelengd appel- of perendiksap of appel- of perensap zonder suiker
1 theelepel gemberpoeder of 1 theelepel kaneel
1-2 zachtzure appels of 1-2 peren

Breng het aangelengde diksap aan de kook samen met de gember/kaneel.
Schil de appel/peer, verwijder het klokhuis en snijd in schijfjes, doe deze bij het kokende diksap, zet het vuur laag en laat de appel/peer in 10 minuten zacht worden.
Laat even afkoelen in het eigen vocht en leg de schijfjes op de rijstbodem, garneer eventueel nog met kaneel en in fase II met geschaafde amandelen, geraspte kokos, of giet er een klein scheutje sojaroom over. Serveer het kookvocht apart in een schenkkannetje bij dit gerechtje.

* *Dit gerechtje kan ook worden gemaakt met schuimkop, kijk hiervoor bij peer met eiwitschuim ⚓.*

Appel gevuld met notenpasta

(fase II)

1-4 Personen

1 jonagold of een gelijkende soort appel
2-3 eetlepels gemengde notenpasta ⚓ of uit een pot
(1 theelepel appeldiksap)

Warm de oven voor op 200-220°C.
Schil de appel en boor, met de appelboor, ruim het klokhuis eruit (4-5 x
"boren"). Zet de appel op een vierkant stuk aluminiumfolie, glimmende kant
binnen. Vul de gemaakte ruimte, tot op 2 cm van de bovenkant, op met de
notenpasta. Schenk er naar wens een theelepeltje diksap over en vul verder af
met de notenpasta, druk goed aan zodat de hele holte dicht zit.
Vouw de folie luchtig dicht en plaats de ingepakte appel, op een vuurvast
schoteltje, gedurende 40 minuten in de oven.

Deze gevulde appel voldoet uitstekend voor één persoon als middagmaal,
maar is ook lekker als "appelnotengebakje" bij een kopje warme drank.
De appel laat zich heel goed in 4 partjes snijden.

Extra smakelijk wordt het door een snufje kaneel- of gemberpoeder erover te
strooien en het te garneren met (soja)room of met een diksaptoefje ⚓.

Ook de chocolade-/carobsaus ⚓ is lekker om over de appel te schenken.

TIP: ⤴ Warme beetgaar gekookte volkorenpasta van tarwe/kamut/soba vermengd met magere zuivel en kruidenzout.

Courgettespaghetti ⌄
2 Personen

1 middelgrote courgette
olijfolie

Was de courgette en snijd de beide uiteinden eraf, trek er vervolgens met een sambal- of komkommertrekker lange slierten vanaf. Of snijd de courgette met een mes (of kaasschaaf) in plakken en snijd de plakken in spaghettiachtige sliertjes.
Verhit de olie in de anti-aanbakpan of -wok en bak hierin, op hoog vuur onder voortdurend omscheppen, de courgettespaghetti in 3-5 minuten gaar.
Schep over in een serveerschaal en houd deze warm op het rechaud of schep de courgettespaghetti direct op de (voorverwarmde) borden.
Grofgeknipte verse basilicum/kruidenzout is heerlijk om op het laatst door de "spaghetti" te roeren.
Deze alternatieve spaghetti smaakt, in fase II, overigens heerlijk bij "echte" volkorenspaghetti aangevuld met walnoot-witlofsalade.

Radijs + pompoenpitvariatie ⌄
2-4 Personen

2 bosjes schoongemaakte radijsjes
3 eetlepels olijfolie
3 eetlepels groene pompoenpitten

De radijsjes in niet te dikke plakjes snijden of schaven, of in kleine blokjes snijden.
De olie erover schenken en even laten marineren.
Op hoog vuur in 3-5 minuten, samen met de pompoenpitten, roerbakken.

Heerlijk bij bloemkoolvariatie⚓ of broccolibrood⚓.

Bloemkool-sojacake ⌄
2-4 Personen

1 bloemkool(tje)
1-2 preien
1 groot of 2 kleine ei(eren)
125 gram tahoe/tofu

Verdeel de bloemkool in roosjes en kook deze, in weinig water, in 15 minuten gaar samen met de in ringen gesneden en daarna gewassen prei.
Doe de groenten over in een vergiet en laat uitlekken.
Warm de oven voor op 175°C.
Pureer de groenten in de keukenmachine samen met het ei en de in stukken gesneden soja.
Maak op smaak met peper en zout.
Schenk het mengsel in een vuurvaste ovenschaal en laat, in het midden van de oven, in ongeveer 5 kwartier mooi bruinen.
Uit de oven even laten rusten alvorens aan te snijden.

Deze "cake" combineert goed met beetgaar gekookte broccoli en gebakken sojachipjes ⚓.

Afgekoeld of de volgende dag óók een lekker middagmaal.

Aspergesalade ˅
2-4 Personen

750 gram asperges
1 dl (wal)notenolie
2-3 eetlepels citroen- of limoensap
1 eetlepel ume-su
20-30 sprietjes bieslook
veldsla of diverse soorten sla in "plukjes"

Schil de asperges en snijd ze in 2-3 cm grote stukjes, houd de kopjes apart, en kook de stukjes in ruim water in 15-20 minuten zacht. Kook de asperge-kopjes in de laatste 5 minuten mee.
Meng de overige vloeibare ingrediënten en knip de bieslook erboven fijn.
Giet de asperges af in een zeef of vergiet en overspoel ze met koud water.
Vermeng met de bieslookvinaigrette en zet koel weg of serveer direct.

Leg de asperges, vlak voor het serveren, op de sla.

Heerlijk als complete maaltijd, gegarneerd met hardgekookte (kwartel)eitjes of als voorgerecht.

Zeekraalspaghetti *K*
2-4 Personen

150 gram gekookte volkorenspaghetti (mag koud of warm zijn)
150 gram zeekraal
150 gram spaghetticourgetti

Doe de volkorenspaghetti in een grote kom.
Was de zeekraal in een vergiet onder koud stromend water, laat uitlekken.
Maak de spaghetticourgette: was de courgette en trek er, met een sambal- of komkommertrekker, lange slierten van of snijd met een mes/kaasschaaf in plakken en vervolgens in slierten.

Schep de courgette in een anti-aanbakwok of -pan en laat dit, op niet te hoog vuur en voortdurend omscheppen, wat bruin kleuren. Pers er naar wens een teentje knoflook bovenuit en laat de courgette in ongeveer 3 minuten zacht en gaar worden.

Meng, in een grote kom, de spaghetticourgetti door de volkorenspaghetti.
Zet de pan weer op het vuur en doe de zeekraal erin, laat ook dit in 3 minuten onder voortdurend omscheppen beetgaar worden.

Als de voorkeur naar een warme schotel uitgaat laat dan de beide spaghetti's met de zeekraal nog heel even meewarmen. Voor een koude schotel de zeekraal overdoen in de kom en vervolgens op een serveerschaal of op borden scheppen.

Lekker met een "saus" van magere kwark met veel fijngeknipte peterselie erdoorheen.

Origineel als voorgerechtje maar ook als complete maaltijd. Koud verrukkelijk op een (dikke) volkorenboterham.

Griesmeelpudding ∠

100-150 gram, afhankelijk van de gewenste dikte, volkorengriesmeel + snufje zout
1 liter magere melk of 1 liter water met enkele eetlepels magere melkpoeder
(van koe of schaap)

Als er melkpoeder wordt gebruikt strooi dit dan via een fijne zeef bij de griesmeel en meng goed. Strooi de griesmeel/melkpoeder in de koude melk of in
het water. Mix even goed met een garde of swizzle stick en laat, onder voortdurend roeren aan de kook komen en even zachtjes doorkoken.

De griesmeel kan een romig effect krijgen door er, van het vuur af, een paar
eetlepels magere kwark, eventueel vermengd met diksap of suikervrije jam
naar smaak door te roeren.

Lekker om warm te eten, soms als ontbijt of middagmaal. Een andere keer
koud en opgestijfd een lekker toetje met stoofpeertjes ⚓, dan geen diksap/jam
erdoor mengen.

Prei-quinoasoep ^k

4 Personen

750 gram prei

1 ui

groentebouillonblokje, -pasta of -poeder voldoende voor 750 ml water

100 gram quinoa

1 teentje knoflook

1 theelepel koriander/ketoembar

1 theelepel gemberpoeder

1 eetlepel tamari/shoyu

De prei schoonmaken, in ringen snijden en wassen, de ui pellen en snipperen. De prei en ui met 750 ml water en de bouillon, in een grote pan, aan de kook brengen en in 15 minuten gaarkoken met de quinoa en de overige ingrediënten. ⅔ Van de prei/quinoa uit de pan nemen en pureren en weer door de rest van de prei/quinoa roeren.

Lekker als maaltijdsoep met grof gesneden volkorenbrood.

TIP: ^k Beetgaar gekookte volkorenpasta, tarwe/kamut/soba, met magere kwark/-yoghurt en suikervrije jam.

Peultjes ⌵
1-2 Personen

2 stengels bleekselderij
(3-5 worteltjes fase II)
150 gram peultjes
3 eetlepels (wal)notenolie
50-75 gram grofgehakte ongebrande amandelen, met of zonder velletje
bieslook

Snijd de bleekselderijstengel in de lengte in drieën en daarna in heel kleine stukjes. Blancheer ze 1 minuut in kokend water, doe over in een zeef of vergiet en spoel af met koud water.

Dunschil de worteltjes, snijd ze in de lengte in tweeën of in vieren snijd ze daarna in heel kleine stukjes en schep ze bij de bleekselderij.

Ontdraad de peultjes en kook ze in 3-5 minuten beetgaar, doe over in een zeef/vergiet en spoel af met koud water, schep bij de andere groenten.

Doe de olie in een kom roer er de amandelen door en schep de groentemix erdoor.

Heerlijk als complete zomermaaltijd, aangevuld met veldsla en tomaatjes.

TIP: ⌵ Mix van roergebakken bleekselderij, courgette en prei, van het vuur af romig gemaakt met sojaroom. Lekker met gegrilde aubergineplakken ⚓ zonder kaas.

TIP: ⌵ Schaaltje luchtig opgeklopte, uitgelekte, volle (geiten)kwark of -yoghurt.

Mango-yoghurtvla ⌐
1 Persoon

1 rijpe mango "zonder haren" of draden
50 ml magere yoghurt
(1 theelepel gemberpoeder)

Schil de mango en snijd het vruchtvlees in blokjes.
Pureer het vruchtvlees*, met de keukenmachine/staafmixer, en samen met de eventuele gemberpoeder tot een gladde saus.

Een verassend ontbijt of apart middagmaal op een warme zomerdag; plaats in de koelkast om door en door koud te laten worden of zet eventjes in de vriezer.

* *Als extra smaakmaker 1 eetlepel citroen- of limoensap meepureren.*

Gevulde komkommer/tomaatjes* ∿

1 niet te dikke komkommer
kleine tomaatjes

Was de komkommer en om een extra tintje te geven aan dit eenhapshapje is het leuk om van de komkommer, met een komkommer- of sambaltrekker sliertjes te trekken, zodat er gekartelde rondjes ontstaan.
De sliertjes kunnen weer dienen als garnering.
Snijd de uiteinden van de komkommer en verdeel de komkommer in 1-1.5 cm dikke plakken. Haal met een scherp theelepeltje of nog beter een meloen- of boterbolletjeslepel voorzichtig de zaadjes eruit, maar let op dat er aan de onderkant een dun bodempje blijft bestaan.
Leg de uitgeschepte bolletjes in een zeef/vergiet, bestrooi ze met (kruiden)zout en laat uitlekken. Serveer de komkommerbolletjes apart of gebruik mooie bolletjes als kapje op de gevulde komkommer/tomaat.
Was de tomaatjes, snijd een heel dun plakje van de onderkant af zodat ze rechtop blijven staan, en schep de zaadlijsten + zaadjes eruit, gebruik dit in een gestoofde groenteschotel. Snijd het kapje eraf, laat het kroontje zitten.
Maak een keuze uit de hierna genoemde vullingen en vul de uitgeholde komkommerstukken en/of tomaatjes met een garneerspuit. Zet bij de tomaatjes de kapjes ter garnering schuin op de vulling.
Bewaar tot gebruik op een koele plaats of eventueel in de koelkast.

Om één komkommer te vullen is ongeveer 100 ml uitgelekte yoghurt of kwark* (van koe of geit) voldoende, meng dit met;
of (vers geknipte) peterselie/selderij, kervel, of citroenmelisse ∿,
of bieslook of dille(zaadjes) ∿,
of sambal, hot peppersauce ∿,
of vermengd met heel fijngesneden preischeuten ∿,
of gemalen oude (geiten)kaas ✓,
of gepureerde bolletjes komkommer met (kruiden)zout ✓,
of 50 gram zuivel en 50 gram blauwschimmelkaas ✓,
of 50 gram tomatenpuree+Provençaalse kruiden en een snufje zout ✓,
of met keukenpapier uitgeknepen en gepureerde artisjokharten ⚓ ✓.

* *Kies naar eigen voorkeur voor volle, halfvolle of magere zuivel. In fase I is het het meest praktisch om voor de magere variant te kiezen, omdat het dan een "neutraal" ∿ hapje is. Na het uitlekken in een zeef met keukenpapier blijft in feite alleen eiwit over, vet zit er niet in en de meeste koolhydraten verdwijnen met de wei.*

Prei met kruidendressing ⌣
2-4 Personen

500 gram niet te dikke prei
2 eetlepels vers gehakte groene kruiden: peterselie, kervel, bieslook, tuinkers
of 1 eetlepel gedroogde kruiden
100 ml zure room
1 eetlepel (appel of witte wijn)azijn
kruidenzout

Snijd van de preien het groene gedeelte weg en snijd ze over de lengte door-midden, maar zorg ervoor dat de niet afgesneden voet de bladeren bijeen houdt.

Spoel en kook de prei in weinig water in 10 minuten gaar.

Roer voor de dressing de kruiden en de azijn door de room en maak eventueel nog op smaak met het zout.

Haal de preien voorzichtig uit het kookvocht, laat ze even uitlekken in een vergiet of op keukenpapier en leg ze op een (voorverwarmde) schaal.

Schenk de saus erover of serveer deze apart bij de prei.

Lekker met beetgaar gekookte groenten en meiraap- of, in de winter koolraap- of knolselderijpuree ⚓.

Zeekraalsalade
(fase II)
2-4 Personen

700 gram verse doperwten
200 gram zeekraal
100-150 gram geiten- of schapenfeta

Haal de erwtjes uit de peulen, was de zeekraal en doe beide in een anti-aan-bakwok of -hapjespan, waarin een klein scheutje olijfolie is gegoten.

Bak, onder voortdurend omscheppen, in 3-5 minuten gaar op een middelma-tig hoog vuur. Haal de pan van het vuur en verbrokkel de feta erboven, schep dit nog even door de groenten en serveer.

Tomatengelei met hardgekookt ei
of minibloemkool- of broccoliroosjes ⌣ of ⌢

2-4 Personen

Wachttijd 1 uur of langer voor het geleren.

500 ml tomatensap, zelfgemaakt of uit een pak
1 eetlepel agar-agar poeder
kruidenzout of een andere smaakgever
2-4 hardgekookte eieren, 8-10 kwarteleitjes* of
200 gram minibloemkool- of broccoliroosjes

Kook het tomatensap samen met de agar-agar 2-3 minuten, breng (mag best heel pittig) op smaak met het zout, tamari/shoyu of ume-su.
Pel de eieren, snijd ze in kleine stukjes of halveer de kwarteleitjes en roer door het inmiddels al wat afgekoelde sap.
Schenk dit in de vorm(pjes) en laat verder opstijven, heel leuk als bijgerechtje, bij alle groenten waar tomaat goed bij past.

Als het tomatensap/ei in een lage vorm wordt gestort is het ook origineel om in blokjes te snijden en aan een houten prikkertje te serveren als hartig hapje.

* In plaats van ei kan ook worden gekozen voor 3 minuten geblancheerde minibloemkool of broccoliroosjes, hierdoor wordt het dan een "neutraal" gerecht. Maak óók dan het tomatensap pittig op smaak met kruidenzout.

Bieslookpaprika's ∿

2-4 Personen

100 ml (appel)azijn
2 rode paprika's
2 gele paprika's
20-30 sprietjes bieslook fijngeknipt, vers of uit de diepvries

Breng de azijn met 200 ml water aan de kook.
Intussen de paprika's wassen, halveren, zaadlijsten verwijderen en in reepjes snijden.
Paprikareepjes 1 minuut koken en een half uurtje in het vocht laten staan met het deksel op de pan.
Afgieten en bestrooien met de bieslook.

Lekker met gekookte granen met daardoorheen 2-3 minuten geblancheerde gekiemde peulvruchtenmix geroerd.

TIP: ↖ Magere yoghurt of -kwark eventueel luchtig gemaakt door er heel stijfgeslagen eiwit (met citroen- of limoensap) door te mengen.

Doperwtensoep

2-4 Personen

2 kg verse doperwten*
groentebouillonblokje-, -pasta of -poeder voldoende voor 750 ml water
kruidenzout

De erwten doppen en met 750 ml water en de bouillon aan de kook brengen.
10 Minuten zachtjes laten koken.
Via een zeef of vergiet die op een andere pan staat afgieten en 4-6 eetlepels
erwtjes achterhouden. De rest van de erwten pureren en overdoen in de pan
met het afgegoten kookvocht. De achtergehouden erwtjes er weer doorroeren
en nog even goed doorwarmen.

Eventueel garneren met fijngeknipte peterselie, bieslook, blaadjes munt of
citroenmelisse.

Heerlijk met volkorenbrood en stukjes tomaatvlees als een maaltijdsoep of, in
fase II, met een vleugje (soja)room erdoor, als de soep al op de borden is
geschept. Maar ook een heerlijk voorgerechtje.

* *De verse doperwten kunnen ook worden vervangen door 500 gram diepvriesdoperwten.*

TIP: Kwartet van haricots verts, blokjes geblancheerde courgette, broccoliroosjes verse doperwten met quinoa en paprikasaus ⚓ ∿.

Radijs/rettichsmeersel ⌄

1 bosje radijs of 20 cm rettich
1 kleine rijpe avocado
1 eetlepel citroen- of limoensap
5 eetlepels zure room*
1 theelepel geraspte mierikswortel

De radijsjes of de rettich schoonmaken en fijnhakken in de keukenmachine.
Het avocadovruchtvlees pureren of fijnprakken met het citrussap, de room en
de mierikswortel en op smaak brengen met peper en zout. De radijs/rettich
erdoor mengen.
Dit smeersel voldoet goed als dipsausje in stukjes bleekselderij maar is, in fase II,
ook smakelijk op volkorenbrood of rijstwafels.

* *De zure room is in dit recept niet te vervangen door sojaroom, het gaat gisten en
borrelen in het buikje!*

Avocadoroom ⌄

1 rijpe avocado
2 eetlepels appel- of witte wijnazijn
1 eetlepel citroen- of limoensap
150 ml volle, romige yoghurt of (geiten)kwark*
(1-2 teentjes knoflook)
(kruiden)zout
eventueel 1 groene, gele of rode paprika in kleine blokjes en/of 2-3 eetlepels, in een koekenpan, drooggeroosterde pijnboom- of groene pompoenpitten

Schil de avocado en pureer het vruchtvlees samen met de overige ingrediënten behalve het zout en de paprikablokjes.
Voeg naar smaak het zout toe en roer de blokjes paprika erdoor. Schep in een
schaaltje en leg de pit erin tegen bruin kleuren als de room niet direct
gebruikt wordt.
Srooi er, vlak voor het serveren de pitten over.

Spinazie-radijssalade

2 Personen

200 gram spinazie
1 bosje radijs
(verdere ingrediënten naar keuze aan het eind van het recept)

Was de spinazie, maak de radijsjes schoon en snijd ze in vieren.
Meng de radijsjes met de spinazie en maak deze mix op smaak af met;
scheutje limoensap ∿,
blokjes gewassen of geschilde komkommer ∿,
magere, halfvolle of volle yoghurt met geraspte mierikswortel ⌐ of ∨,
vinaigrette van notenolie en enkele grofgehakte noten ∨,
en/of blokjes (geiten- of schapen)feta of -kaas ∨.

TIP: ⌐ Rabarbermoes vermengd met -warme of (ijs)koude- gekookte zilvervliesrijst of een andere graansoort.

Zilvervliesrijst-timbaaltjes 𝒦
2-4 Personen

75 gram zilvervliesrijst
25 gram wilde rijst
groentebouillonblokje of -pasta of -poeder
veel bieslook*, vers in de zomer, gedroogd in de winter

Kook de beide rijstsoorten samen, in de bouillon met water gaar.
Knip -of strooi- de bieslook erboven en roer dit door de gare rijst.
Verdeel de rijst over zoveel vormpjes als er eters zijn, druk goed aan en stort op de (voorverwarmde)borden.

In de lente/zomer heerlijk met (tomaten)sla en beetgaar gekookte peultjes of groene asperges en in de herfst/winter met gestoofde prei en witte wintersla ⚓ met geraspte winterwortel.

In plaats van bieslook kan ook, op deze hoeveelheid rijst, 1 paplepel paprikapoeder door de gare rijst gemengd worden.

TIP: 𝒦 Maak eens een dubbele sandwich door van volkorenbrood 3 sneetjes dun af te snijden en het eerste sneetje te beleggen met een blaadje sla en tomaat, dan het tweede sneetje erop met veel preischeuten, mosterdzaadkiemen of alfalfa en als dakje het derde sneetje erop.

Groene tomatenbeleg ⮜

1000-1200 ml beleg

2 kg groene tomaten
250 ml appeldiksap
200 ml citroensap

De tomaten schillen en in plakjes snijden, de kroontjesaanzet wegsnijden.

De tomaten in een grote wijde pan, samen met het diksap en citroensap, aan de kook brengen, dan het vuur laag en met het deksel op de pan 40-50 minuten laten pruttelen.

Jampotjes en twist-off deksels (of gebruik weckpotten) in een badje met kokendheet sodawater leggen.

Na de kooktijd de tomaten overdoen in een vergiet die op een kom hangt, het vocht weer terug doen in de pan, en op hoog vuur in ongeveer 30-40 minuten zonder deksel, tot ongeveer de helft laten inkoken*.

De tomaten terug doen in het ingekookte vocht en nog even opkoken. Weer overdoen in de vergiet en uit de vergiet in de potjes scheppen.

De potjes omspoelen, op een houten plank zetten, vullen met het beleg, deksel erop en omkeren.

Dit tintelend fris beleg is het lekkerst op de middag- of avondboterham.

Het kookvocht is heerlijk om zo te drinken, maar geeft ook een lekkere smaak aan zilvervliesrijst als het hierin wordt gekookt. Kies dan voor een kleine portie (50 gram rijst, geeft ongeveer 200 gram gare rijst) en leng, indien nodig, aan met de aangegeven hoeveelheid water waarin de rijst gekookt zou moeten worden. Ook een restantje volkorenpasta van de dag tevoren, -die niet is gekookt in groentebouillon!- is heel apart als het wordt opgewarmd in het kookvocht. Serveer dan in het kookvocht.

Het kookvocht kan, net als het beleg, worden bewaard in een met heet sodawater omgespoelde pot als het niet binnen 2-3 dagen gebruikt gaat worden.

TIP: ⮜ In groentebouillon met tamari/shoyu beetgaar gekookte sperziebonen, heel klein gesneden geblancheerde bleekselderij en tijm-uienmengsel ⚓ met beetgaar gekookte volkorenpasta.

Uiensalsa ⌄
2-3 Personen

3-4 kleine rode uien of 2 grote
2 teentjes knoflook
4 eetlepels verse fijngehakte peterselie of 1 eetlepel gedroogd
1 eetlepel citroensap

Pel de uien en snijd ze in dunne ringen.
Verhit enkele eetlepels olijfolie in een pan en bak de uiringen 20 minuten op niet te hoog vuur tot ze zacht en goudbruin zijn.
Pers er dan de knoflook bovenuit en laat nog 5 minuten meebakken.
Doe over in de serveerschaal en meng de kruiden en het citroensap erdoor breng op smaak met peper en zout of kruidenzout.
Eet deze salsa warm met bijvoorbeeld sperziebonen of het venkeltaartje ⚓.

Kaneel- of gemberijs
(fase II)

2 eiwitten*
1 theelepeltje citroen- of limoensap, 1-2 eetlepels appeldiksap
1 theelepeltje kaneel of 1 theelepel gemberpoeder
3-4 eetlepels sojaroom, is in dit gerecht niet te vervangen door slagroom!

Dit geeft ongeveer 300 ml aan ijs.
Klop in een plastic kom het eiwit met een snufje zout en het citrussap stijf, als het stijf is voeg er dan het diksap en de kaneel bij en klop ongeveer 5 minuten tot zeer stijf. Schenk er dan, terwijl de mixer nog steeds op hoog toerental draait, de sojaroom heel langzaam bij, het is de bedoeling dat het eiwit niet te veel "inzakt". Uit ondervinding is gebleken dat er de ene keer meer/minder gebruikt wordt dan de andere keer daarom giet ik de room altijd direct uit de verpakking bij het eiwit omdat dat een mooi schenktuitje heeft.
Schep in een (cake)vorm of laat in de kom en plaats in de vriezer.
Dit ijs is heerlijk om zo te eten maar combineert ook heel lekker, qua smaak, bij warme of koude appelcrunch ⚓.

* *Kijk voor eidooierreceptjes bij de ⌄index.*

Andijviestamppot ⤨

2-3 Personen

400 gram bloemkool*
1 kleine krop andijvie of gebruik spinazie of (winter)raapsteeltjes
400 gram gekookte witte bonen of afgespoelde- uit een pot, zonder suiker

Was de bloemkool snijd in stukken en zet, met weinig water, op in een grote pan. Laat in 15-20 minuten gaar koken.

Was de andijvie en snijd in heel smalle reepjes, sla er, met een slamandje of centrifugeer het meeste vocht uit.

Voeg in de laatste paar minuten de bonen toe -pers er eventueel 1 teentje knoflook boven- aan de bloemkool, giet af maar vang het kookvocht wel op in een klein pannetje. Pureer de bloemkool/bonen en doe weer terug in de pan die op een laag pitje staat. Roer de andijviereepjes erdoorheen en laat nog even warmen.

Verwarm het kookvocht en maak op smaak met wat tamari/shoyu of kruidenzout en geef dit apart bij de stamppot.

Serveer direct uit de pan of schep op (voorverwarmde) borden.

Deze stamppot kan worden aangevuld met geroosterd, in kleine vierkante blokjes gesneden, volkorenbrood of in fase II met geraspte (geiten)kaas, dan is het een idee om de kaas op de stamppot onder de hete grill te laten smelten.

Maar het brood en de kaas kan ook op tafel worden gezet zodat ieder kan kiezen waarmee de stamppot wordt gegeten.

* *Of knolselderij.*

TIP: ⌣ Salade van sla, tomaat, komkommer, bleekselderij, olijven, fijngeknipte verse tuinkruiden (of gedroogd) en noten-, olijf- of zadenolie.

Barbecue

In de zomer, op een mooie dag, kan een barbecue heel gezellig zijn.

Smeer stukken aluminiumfolie aan de glimmende kant in met een kwastje met olijfolie, leg hier de groenten (aubergine en courgette zijn heel geschikt) op, vouw de pakketjes dicht en laat op het rooster beetgaar worden.

Kies uit de matrixen op pag 16 t/m 22 gerechten. Maak zoveel mogelijk van tevoren en zorg voor een ruim aanbod van salades.

De olie, gesmeerd op de folie, is maar zo weinig en daardoor geen probleem voor degenen die een "goede koolhydraatbarbecue" willen gebruiken. Het is daarom leuk om te zorgen voor kleine broodjes ⚓ in verschillende smaken. Bereid peulvruchtenpuree ⚓, zorg voor een mix van gemixte gekookte peulvruchten ⚓ of granenmix.

⌁ hapjes zijn ook altijd makkelijk om erbij te maken.

Het is bijna een sport om ervoor te zorgen dat ieder ter plekke de keuze kan maken van waar hij/zij op dat moment trek in heeft.

Bij de keuze voor een "vetbarbecue" is het smakelijk om geraspte (geiten)kaas te strooien over de groentepakketjes als deze bijna klaar zijn.

TIP: ⌣ Sperziebonen, beetgaar gekookt, met rauwe andijvie als salade gemengd met sesamolie en gebakken tahoeblokjes ⚓ bestrooid met gomasio.

TIP: ⌐ (Zelfgemalen) muesli van zilvervliesrijst, boekweit en quinoa een nachtje geweekt in water of het uitleksel (wei) van zuivel.

TIP: ⌐ Ronde zilvervliesrijst uit timbaaltjes met 's zomers appel-aardbeisaus ⚓ en 's winters -diksap, soms als middagmaal en soms als toetje.

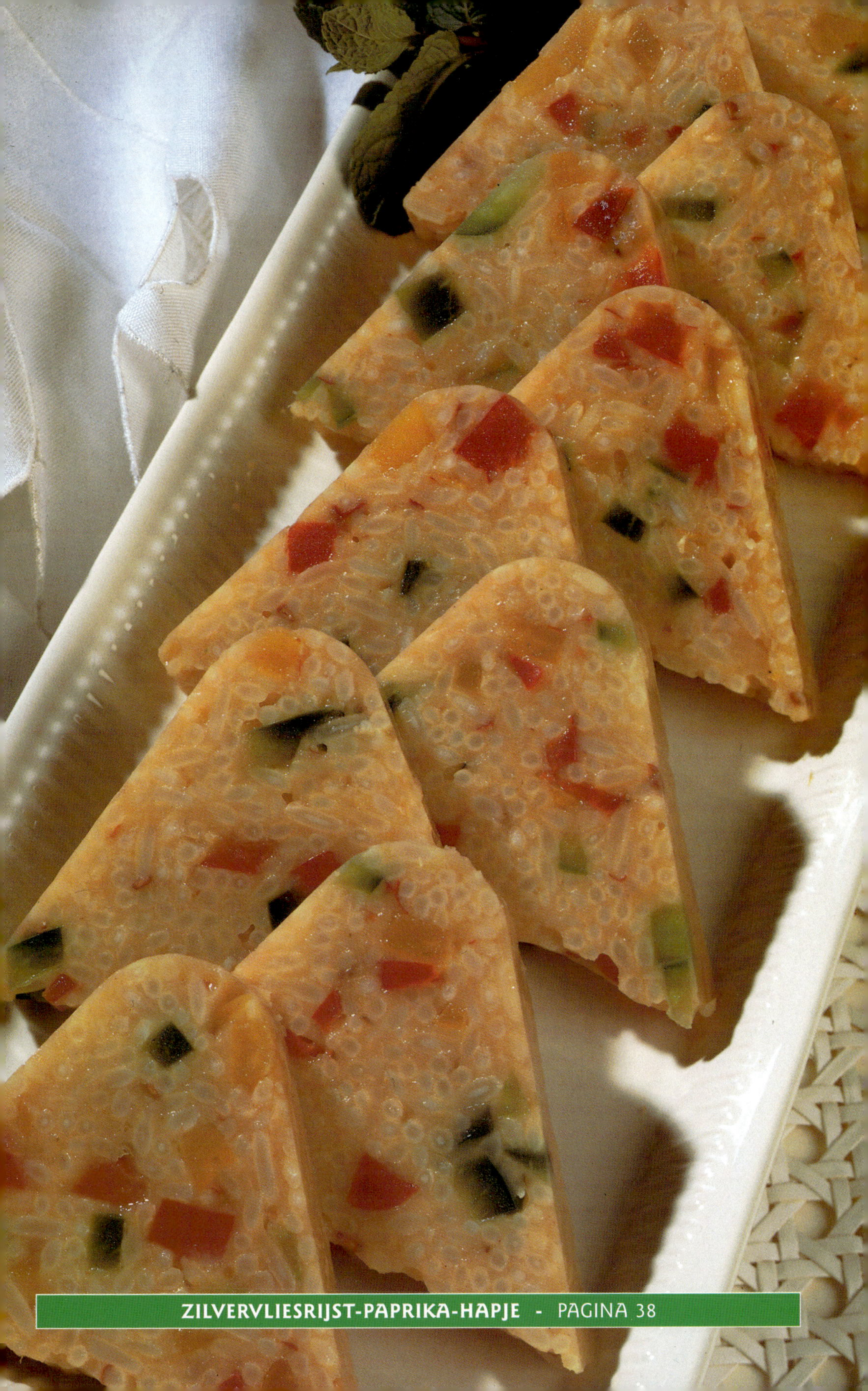

ZILVERVLIESRIJST-PAPRIKA-HAPJE - PAGINA 38

Appel

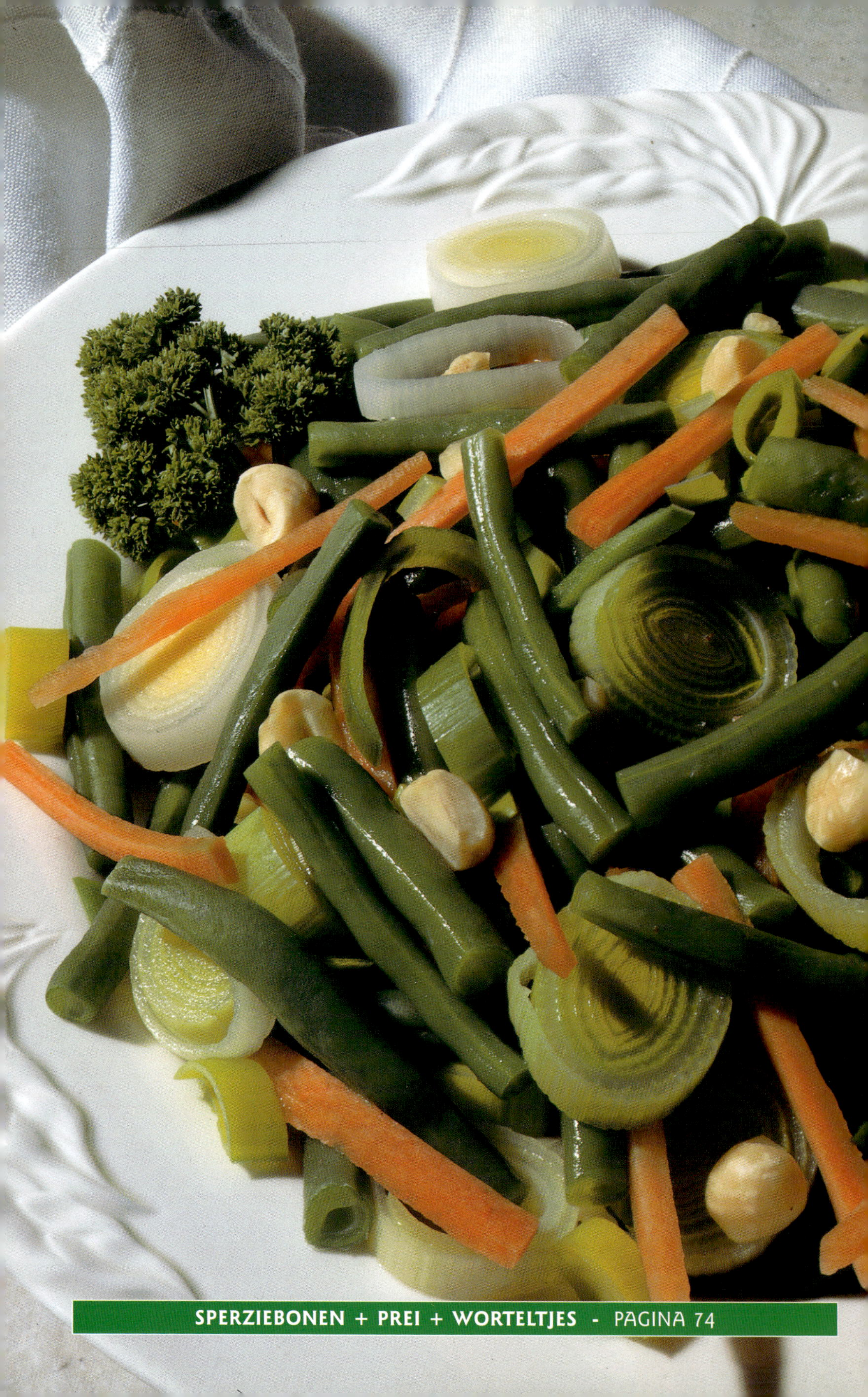

SPERZIEBONEN + PREI + WORTELTJES - PAGINA 74

Radijs-koolrabifantasie of ⌄

2-4 Personen

Wachttijd eventueel 2-6 uur voor marineren bij bereiding met olie/azijn.

100 gram peultjes
1 bos radijs
1 koolrabi

Maak de peultjes schoon en kook ze in 4-5 minuten gaar, giet af en laat uit-
lekken.
Maak de radijsjes schoon, was of schil de koolrabi en rasp beide grof.
Meng de peultjes door de radijs en koolrabi.

Eet de salade als zodanig of maak naar eigen keuze af met 2 eetlepels (walnoten)olie en wat in grove stukken gehakte (wal)noten ⌄ of 2 eetlepels ume-su,
of de een of andere azijn en zout/peper ∿.
Laat enige tijd (2-6 uur) marineren.

Als broodbeleg de groenten na marineren met azijn uit laten lekken in een
zeef ⌐.

⌐ 100 Gram gekookte volkorenmacaroni (= 50 gram rauw) is ook lekker om
te mengen met de groenten.

TIP: ⌐ Gekookte in ruiten gesneden snijbonen met zilvervliesrijst-timbaal-
tje ⚓ met grofgeraspte komkommer bestrooid met bonenkruid.

Taugéschoteltje ⌄

2-4 Personen

150 gram taugé
(2-3 stengels bleekselderij)
3 eetlepels olijfolie
1 eetlepel tamari/shoyu
1 teen knoflook
(250 gram sojablokjes ⚓)

Snijd de taugé in kleine stukjes. Snijd de bleekselderij in de lengte in drieën en vervolgens in heel smalle plakjes.
Schenk de olie in de pan en daarna de sojasaus, laat dit even opkoken. Voeg er dan de groenten bij en pers er het teentje knoflook bovenuit.
Roerbak op hoog vuur de groenten 2-3 minuten zodat het lekker knapperig blijft.
Serveer op een bedje van veldsla of rauwe (wilde) spinazie en garneer met de sojablokjes.

Dit taugéschoteltje is, zowel warm als koud, een snel, smakelijk en verrassend bijgerechtje bij talloze schotels ook zonder bleekselderij en de sojablokjes!

L E N T E – Z O M E R (H E R F S T)

Koolrabidobbelsteentjes ⌄

2 Personen

1 koolrabi
(kruiden)zout

Was of schil de koolrabi snijd in dikke plakken en vervolgens in dobbel-steentjes.
Verhit een scheut olie in de koekenpan en bak hierin, onder af en toe omscheppen in 15-20 minuten, de koolrabi aan alle kanten mooi goudbruin.
Proef even of de koolrabi gaar is doe over in een schaaltje of op de (voorver-warmde) borden en bestrooi met (kruiden)zout en wat peterselie.

Courgettesalade ∨

2-4 Personen

½ courgette
1 bleekselderijstengel
½ (geschilde) komkommer
2 tomaten
2 eetlepels distel- of (walnoot)olie
1 eetlepel (wijn)azijn en snufje zout of
1 eetlepel ume-su
ongeveer 10 blaadjes basilicum

Snijd de courgette in de lengte door en snijd of schaaf de beide helften in dunne plakjes. Ontdraad de bleekselderij en snijd in heel smalle plakjes.
Blancheer beide groenten 2 minuten in kokend water.
Doe over in een zeef/ vergiet en laat uitlekken.
Schaaf of snijd de in de lengte in vieren verdeelde komkommer in dunne plakjes.
Snijd de tomaat in partjes. Schep alle groenten door elkaar.
Vermeng de olie, azijn of ume-su en de fijngeknipte basilicumblaadjes en giet over de groenten.
Laat even marineren.

Serveer als bijgerecht of maak er een maaltijdsalade van door er een paar eetlepels gehakte noten over te strooien, gebruik dan walnootolie bij walnoten of gemengde noten.

TIP: ⤴ Verse capucijners met geroosterd volkorenbrood in minidobbelsteentjes en citroenuitjes ⚓ aangevuld met bloemkoolpuree.

Komkommer-uimengsel ∿

2-3 Personen

150 gram ui in ringen
1 komkommer (300 gram)
1-2 tenen knoflook
1-3 eetlepels tamari of shoyu
(sambal/Spaans pepertje)

Maak de ui in een anti-aanbakpan of -wok op niet te hoog vuur glazig.
Was of schil de komkommer, halveer in de lengte en halveer de helften in de lengte.
Snijd in 3 cm grote stukjes.
Zet het vuur hoog en bak de komkommerstukjes, pers de knoflook erbovenuit en schenk de soja erbij en naar eigen smaak sambal of een, in kleine stukjes gehakt, Spaans pepertje. Laat dit alles op middelmatig vuur in een kwartiertje garen, voeg eventueel een scheutje water toe.

Lekker bij een maaltijd met kleefrijst ⚓ en doperwten maar, uitgelekt, ook iets anders op brood ⊂.

TIP: ⊂ Magere yoghurt of -kwark gemengd met grofgebroken zilvervliesrijstwafels.

TIP: ∿ Op een schaal rondom rangschikken, 1 rij dungeschaafde (on)geschilde komkommer, 1 rij dungeschilde en dungeschaafde rettich/rammenas en in het midden dungeschaafde radijs bestrooid met maanzaad. Verrukkelijk met een sausje van (magere) yoghurt en dilletoppen ⚓.

Rabarber-pruimcompote κ

Wachttijd ongeveer 1 uur (of langer) voor het weken van de pruimen.

250 gram gedroogde pruimen
2 (jonagold) appels
500 gram rabarber

Was en ontpit de pruimen en zet ze een uurtje te weken in een kop met 100 ml heet water.

Verwijder van de rabarber de uiterste einden, snijd de stengels in stukken van 2-3 cm, was ze en leg de stukken in een grote pan die op een laag pitje staat. Schil de appels, verwijder de klokhuizen en snijd ze in kleine stukjes op de rabarber.
Snijd de pruimen klein en doe ze met het weekwater bij de rabarber- en appelstukjes. Breng even aan de kook en zet het het vuur weer laag, laat dit alles, met het deksel op de pan en onder af en toe omroeren in 15-20 minuten zacht koken.

Sommigen vinden deze compote warm tot lauw heerlijk om te eten, maar ijskoud uit de koelkast, apart of met gekookte (ronde)zilvervliesrijst met kaneel is het ook smakelijk. Net als de rabarberpruimmoes ⚓ kan deze variant ook worden bewaard in met heet sodawater omgespoelde glazen potjes, of na afkoeling worden ingevroren.

Er kan ook een puddingcompote worden bereid, doe hiervoor de warme of koude compote over in een zeef die boven een pan hangt, zodat het vocht eruit lekt.
Strooi in het vocht 1 theelepeltje agar-agar en laat 2-3 minuten koken, roer de compote erdoor en doe over in één of meer schaaltjes, om als het is afgekoeld te kunnen storten.
Lekker met een scheutje luchtig geklopte magere yoghurt/-kwark. Of toefjes stijfgeslagen eiwit met appeldiksap en kaneel.

Appelcrunch
(fase II)

Wachttijd ongeveer 2 uur.

Voor de "deksel"*, Ø 18 cm

100 gram boekweitmeel

50 gram rijstemeel

50 gram sojameel

3 eetlepels neutrale olie

3 eetlepels appeldiksap**

snufje zout

3-5 eetlepels ijskoud water

Voor de vulling

2-3 appels van het seizoen

3-4 eetlepels ongezwavelde rozijnen

100 ml appeldiksap

2-3 eetlepels geraspte kokos

75-100 gram grofgehakte ongebrande gemengde noten, studentenhaver kan ook.

theelepel kaneel

Doe alle ingrediënten, met uitzondering van het water, in de kom van de keuken-machine en draai er met het sikkelmes snel een samenhangend deeg van. Voeg dan het water eraantoe en haal het deeg met koude natte handen uit de kom, vorm tot een bal en leg deze te rusten in de koelkast.

Maak intussen de vulling:
Schil de appels, snijd ze in vieren, verwijder de klokhuizen en snijd ze in par-tjes in een (grote) vuurvaste schaal. Schep hier alle overige ingrediënten, behalve de deksel!, bij en meng goed door elkaar. Laat staan.

Warm de oven voor op 180°C.
Brokkel het deeg boven de appels en zet ongeveer een uur in het midden van de oven om gaar te worden.

Serveer "puur" als een doordeweekse tussen-de-middagmaaltijd.
Of met (on)geslagen slag-, of garderoom of met sojaroom, of uitgelekte mage-re kwarktoefjes, vermengd met appeldiksap als heerlijk gebak.

* Een wat makkelijker te hanteren deeg, met tarwegluten, staat beschreven als bodem voor een besjestaart ⚓. De besjestaartbodem kan gebruikt worden als deksel voor deze heerlijke appelcrunch!

Dit glutenvrije deeg kan ook als bodem dienen, het is echter niet zo makkelijk om het uit te rollen. Maar het kan lukken.

Verdeel met vochtige handen in kleinere ballen en druk deze plat op ongebleekt vetvrij bakpapier, boetseer tot een ½ cm dikke bodem. Leg deze op de bodem van een springvorm of, wat ikzelf altijd gebruik in een pievorm met een losse verstelbare metalen taartrand. Zet de rand in de pievorm en maak met het laatste restje deeg een opstaand randje.

Bak de bodem nu, met een steunvulling van overjarige peulvruchten in aluminium-folie, 15 minuten in het midden van de voorverwarmde oven die op 180°C is ingesteld, verwijder dan de steunvulling en alufolie en bak nog eens 15 minuten. Bewaar de alufolie met de vulling bij bijvoorbeeld de bakspullen want de steunvulling is meermalen te gebruiken.

** Meet met de lepel waarmee eerst de olie is gemeten, dan glijdt het diksap er heel makkelijk vanaf.

Sperziebonen + prei + worteltjes ⤶

2 Personen

300 gram sperziebonen

1 niet te dikke prei

3-5 worteltjes

(in fase II enkele eetlepels grofgehakte ongebrande hazelnootjes)

Maak de sperzieboontjes schoon, breek ze en kook in weinig water in 10 minuten beetgaar.

Snijd inmiddels de prei in smalle ringen, was en kook ongeveer 2-3 minuten met de boontjes mee.

Schil en rasp de worteltjes grof en schep door de afgegoten sperziebonen, serveer de eventuele nootjes er apart bij of schep door de groenten.

Lekker met zilvervliesrijst, een mix van granen of volkorenmacaroni en rauwkostsalade.

Kruiden-eikoek ⌣
2-6 Personen

4 eidooiers*
3-4 eetlepels geraspte, jonge of oude (geiten)kaas
3-4 eetlepels (soja)room
1-2 eetlepels Italiaanse- of Provençaalse kruiden

Roer de dooiers los met de kaas en de room, verwarm in een koekenpan een scheutje olijfolie en laat hierin het eimengsel lopen.
Laat op een middelmatig vuur het ei stollen maar strooi er, vóór het helemaal gestold is, de kruiden over. Draai de koek nog een paar keer om en om.
Het duurt ongeveer 10-15 minuten voordat de eikoek gaar is.

Warm lekker bij talloze groente- of saladegerechten.

Afgekoeld als origineel hapje bij een glaasje wijn of als onderdeel van een hapjestafel ⚓. Laat hiervoor de koek op een bord of plank glijden en snijd in schuine repen zodat er "wybers" ontstaan. Leg deze wybers als bloem gerangschikt op de serveerschaal.

Bijzonder om als eipoffertjes ⚓te serveren.

---

* Met de eiwitten (bewaren in een afgesloten potje in de koelkast) is er in fase II heerlijke sojaroomparfait ⚓ of ijs ⚓ (index fase II) te bereiden,maar het eiwitschuim ∿ ⚓ kan ook met peper/zout apart worden gebakken.

Sperziebonensalade K

2 Personen

250 gram sperziebonen (of kies voor haricots verts of kouseband)
1 koolrabi
50 gram worteltjes
100 gram zeekraal

Kook de schoongemaakte en gebroken bonen in weinig water, met naar keuze een schepje groentebouillonpoeder, -pasta, beetgaar.

Was of schil de koolrabi, snijd in dikke plakken, daarna in blokjes, en kook in 10 minuten gaar.

Spoel de zeekraal, in een vergiet, af onder koud stromend water en giet de bonen en koolrabi af over de zeekraal, vang het kookvocht wel op, laat uitlekken.

Dunschil de worteltjes, snijd ze in vieren of in zessen en in kleine blokjes.

Schep alle groenten door elkaar en dien lauwwarm op met soba, quinoa, volkorenmacaroni/-spaghetti of zilvervliesrijst en als er met bouillon is gekookt het kooknat.

Goed uitgelekt is dit een heerlijk beleg tussen twee volkorenboterhammen.

Sinaasappelsnoepjes ↶

3 eetlepels of ongeveer 75 gram rozenbotteljam zonder suiker
500 ml (zelfgeperst & gezeefd) sinaasappelsap
5 gram agar-agarpoeder

Zet een vorm, bekleed met ongebleekt bakpapier, klaar. Een plat, niet te groot, dienblaadje kan ook heel goed functioneren. Meet anders eerst even met 600 ml water hoe dik de snoepjes worden, voor het uitsteken met allerlei leuke uit-steekvormpjes is het beter als de "sinaasappelplak" niet dikker dan ½ cm wordt. Het sap kan echter ook in een (cake)vorm worden gegoten zodat er later reepjes/blokjes gesneden kunnen worden.

Meng de rozenbotteljam met 150 ml sinaasappelsap en kook dit, samen met de agar-agar en in een niet te kleine pan, 2-3 minuten.
Schenk 350 ml sinaasappelsap, onder voortdurend goed roeren, bij het warme sinaassapmengsel in de pan en schenk direct over in de vorm(en).
Laat afkoelen en zet in de koelkast om verder op te stijven.

Binnen een uur kunnen er snoepjes worden uitgestoken of reepjes worden gesneden. Dit uitsteken kan echter ook de volgende dag pas worden gedaan. De uitgestoken figuurtjes zijn ook heel decoratief om te gebruiken als garne-ring, bij bijvoorbeeld sinaasappelrijst ⚓.

TIP: ⌣ Salade van tomaat, komkommer, bleekselderij, beetgaar gekookte sperziebonen, olijven, knoflook, fijngeknipte tuinkruiden en (noten)olie.

Rijst-appeltaartje

4-6 Personen

50 gram (ronde)zilvervliesrijst
water, magere melk of sojamelk
5 gram agar-agarpoeder of -vlokken
1-2 eetlepels appel- of perendiksap
½ theelepel kaneelpoeder
½ theelepel gemberpoeder
1-2 jonagold of gelijksoortige appel

Kook de rijst in de aangegeven tijd en hoeveelheid vocht gaar, of gebruik een restantje gare rijst (200 gram), als deze maar niet in bouillon is gekookt.

Breng 100 ml water of melk aan de kook met de agar-agar en laat dit 2-3 minuten koken, roer door de warme of koude rijst, en strijk de rijst uit op een plat bord wat met ongebleekt bakpapier bekleed is. Maak de bodem niet te dik, ½ cm is lekker. Snijd een mooie rand en zet in de koelkast om op te stijven.

Vermeng het diksap met enkele eetlepels water en roer er de kaneel- en gemberpoeder door. Doe in een grote koekenpan en breng zachtjes aan de kook.

Schil de appel(s), snijd ze in vieren, verwijder de klokhuizen en snijd ze in dunne plakjes. Leg ze in de pan in het sap en laat dit, op niet te hoog vuur en onder af en toe omscheppen, 5-10 minuten koken.

Neem de rijst-taartbodem uit de koelkast en verdeel er de appelplakjes over. Als niet alle kookvocht in de appel is getrokken, schenk dit dan over de appel. Bestrooi voor het serveren nog even met kaneel- of gemberpoeder

Laat afkoelen en serveer in mooie puntjes gesneden.

In fase II is warme chocolade- of carobsaus ⚓ ook lekker om over het rijst-taartje te schenken.

Eipizza ∨

2-4 Personen

5 eetlepels magere of volle (geiten)kwark of -yoghurt

4 eieren

2 theelepels sambal of hot peppersauce

olijfolie

2-4 tomaten vers of uitgelekt uit een blik*

1 eetlepel Provençaalse- of Italiaanse kruiden

(geitenkaas)

Doe de zuivel in een zeef of vergiet, met daarin een paar keer dubbelgevouwen keukenpapier, zodat het meeste van het vocht, de koolhydraten eruit trekt. Laat een kwartiertje staan.

Klop de eieren, sambal of sauce en de uitgelekte zuivel met een garde tot een homogeen mengsel.

Verhit in een grote koekenpan met anti-aanbaklaag een scheutje olijfolie, schenk het eimengsel erin en bak even op hoog vuur. Zet het vuur dan laag en laat de omelet, met een deksel op de pan in ongeveer, 10-15 minuten stollen. Snijd intussen de tomaten in plakjes en leg ze op de omelet, bestrooi met de kruiden en eventueel ook nog met (geiten)kaas.

Dek de pan weer af met het deksel en laat nog eens 5-7 minuten op laag vuur staan.

De pizza laat zich makkelijk in punten snijden en is lekker als complete maaltijd met gestoofde -in water of olijfolie- groenten zoals courgette, paprika's in verschillende kleuren, met gestoofde rettich-radijs met olijven ⚓ of met een gemixte slasalade.

* *Verdeel de pizza, al in de pan en op "het oog", in twee helften door de smaak aan te passen aan degeen die de pizza gaan eten, sommigen houden niet van tomaat en willen alleen de kaas met bijvoorbeeld ui of ringetjes prei, anderen geven weer de voorkeur aan alleen groenten (tomaat, paprika enzo) op het ei en geen kaas.*

Avocadodip ⌄
4-6 Personen

⅓ bosje basilicum
1 rijpe avocado
2 eetlepels citroen- of limoensap
5 eetlepels sojaroom
zout

Snijd het onderste gedeelte van de basilicum weg en leg de basilicum in de mengbeker van de keukenmachine/staafmixer.
Halveer de avocado, schep het vruchtvlees eruit en doe dit bij de basilicum.
Voeg het citrussap en de sojaroom toe en laat de machine 1-2 minuten draai-en tot een mooie gladde saus is ontstaan, voeg eventueel zout naar smaak toe.
Bewaar de pit van de avocado in de avocadodip tegen bruin kleuren als deze dip niet direct opgediend wordt.

Deze dip is smakelijk als voorgerecht op blaadjes ijsbergsla of witlof, decoratief en smakelijk om tomaatjes of eieren mee te vullen.

Maar ook heerlijk om rauwkost in te dippen zoals gele of rode paprika en stukjes bleekselderij.

TIP: ⌐ Beetgaar gekookte volkorenpasta van tarwe, kamut of soba of gekookt gemixt graan met courgettespaghetti ⚓ ∿, groenten en tomatensaus ⚓ en (veld)sla.

80

Chocolade- of carob-hazelnootjesfantasie
(fase II)

Ongeveer 30-35 bonbonnetjes.

100 gram chocolade- (> 70% cacao) of carobtablet
150 gram ongebrande hazelnootjes, ontveld of met velletjes
1 eetlepel hazelnootolie

Breek de chocolade/carob in grove stukken en maal deze, tezamen met de hazelnootjes, in de keukenmachine met het sikkelmes, heel fijn in 1-2 minuten. Als het mengsel nog niet helemaal smeuïg is draai dan de olie even mee. Cacao- of carobpoeder via een fijne zeef in een kom met een ronde bodem strooien. Met vochtige handen kleine balletjes draaien van het chocolade-/carobhazelnootmengsel en door de poeder rollen. Met een lepel de balletjes uit de kom nemen en op een bord leggen, of ze gelijk in kleine papieren bonbonpapiertjes overdoen. In de koelkast plaatsen om op te stijven.

Het is erg leuk om te experimenteren qua smaakmakers door wel of geen 1-2 eetlepels gemalen kokos, 1 paplepel (cafeïnevrije)poederkoffie of koffievervanger, of 2-4 eetlepels ongezwavelde rozijntjes en/of 1 paplepeltje rum of cognac* mee te laten malen met de chocolade en de hazelnootjes.
Er kunnen ook 2-3 soorten bonbonnetjes worden gemaakt, verdeel hiertoe het "basismengsel" in 2 of 3 porties en voeg dan pas de gewenste smaakjes toe. Het eerste deel blijft bijvoorbeeld puur, rol deze door het cacao- of carobpoeder en druk er eventueel nog een ontvelde hazelnoot in. Meng door het tweede deel 1 theelepeltje rum, rol deze balletjes door bijvoorbeeld sesamzaadjes. Het laatste deel is lekker om kokosrasp doorheen te mengen, rol deze dan door een beetje kokos om te serveren en te weten welke smaak er bij welke bonbonnetjes hoort.

De bonbonnetjes zijn in de koelkast of vriezer goed te bewaren.

Om chocolade-hazelnootpasta te maken te maken, zoveel hazelnootolie bijschenken tijdens het fijnmalen, tot er een mooie smeerbare massa ontstaat.

* *Wees niet te scheutig met de rum of cognac omdat er bij téveel geen balletjes meer gedraaid kunnen worden.*

Muntrijst ↙

2-4 Personen

150-200 ml magere yoghurt
150 gram (ronde) zilvervliesrijst*
ongeveer 50 munt/mintblaadjes, of naar smaak

Doe de yoghurt in een zeef met een dubbelgevouwen keukenpapiertje en laat, in de tijd dat de rijst nodig heeft om te garen, het meeste vocht eruit lopen.
Kook de rijst in de aangegeven tijd, in water, magere melk of sojamelk, gaar.
Knip de muntblaadjes heel fijn en roer door de yoghurt, roer het yoghurt-muntmengsel door de rijst.
Laat afkoelen en in de koelkast door en door koud worden.

Heerlijk in de zomer als middagmaal, als apart bijgerecht bij rauwkostsalade of als toetje.

* In plaats van rijst kan ook voor volkorenpasta/soba worden gekozen.

Tahoeplakken ⌄

2-3 Personen

Wachttijd 3-8 uur om te marineren.

300 gram sojakaas (tahoe/tofu)

100 ml witte wijn

3 eetlepels tamari/shoyu

1 prei

groentebouillonblokje -pasta of -poeder voldoende voor 200 ml water

100 ml sojaroom

Laat de tahoe uitlekken op dubbelgevouwen keukenpapier.

Roer de wijn en de sojasaus door elkaar, snijd de tahoe in plakken en leg ze naast elkaar in een platte schaal. Schenk de marinade erover en laat dit enkele uren, onder af en toe keren, marineren.

Van de prei lelijk blad verwijderen in ringen snijden en wassen.

Met keukenpapier de tahoeplakken droogdeppen.

Een ruime schaal voorverwarmen.

In een wijde pan 200 ml water en de marinade schenken. Samen met de bouillon en de prei, op hoog vuur tot ongeveer de helft laten inkoken en de pan van het vuur nemen.

Intussen in een grote koekenpan een flinke scheut olijfolie verhitten en hierin, in ongeveer 5 minuten, de tahoe aan beide kanten mooi goudbruin bakken. De plakken tahoe dakpansgewijs in de ruime schaal leggen en warmhouden.

De prei uit de bouillon halen en op de tahoe leggen. De room onder goed roeren langzaam bij het ingekookte vocht mengen en apart geserveerd bij de tahoeplakken geven.

Lekker met beetgaar gekookte sperziebonen en gestoofde paksoi of Chinese kool.

Yoghurt-muntdressing ⌐

200 ml magere yoghurt
50-60 verse munt/mintblaadjes

Meng beide ingrediënten in de keukenmachine/staafmixer of snijd de munt
heel fijn en roer goed door de yoghurt.

Deze dressing is voor de liefhebbers van mint/munt een heerlijk bijgerechtje
bij diverse groenteschotels zoals broccoli en sperzieboontjes met gekookte
granen of volkorenpasta's.
De dressing is ook heerlijk door gekookte zilvervliesrijst = muntrijst ⚓.

Als beleg op rijstwafels of volkorenbrood.
Laat hiervoor de dressing, in een zeef die met een dubbelgevouwen keuken-
papiertje bekleed is, in ongeveer twee uur uitlekken.
Bij het laten uitlekken blijft er gemiddeld de helft over.
Als hapje bij een glaasje op, in kleine rondjes uitgestoken of in ruitjes gesne-
den, donker roggebrood.

TIP: Aan het eind van fase I, of in fase II, hüttenkäse/cottage cheese mengen met een fijngesnipperd sjalotje, fijngeknipte bieslook/peterselie of (kruiden)zout, heerlijk op donker roggebrood.

Aardbeienpuddinkje ^K

2-3 Personen

200 ml water, magere melk* of sojamelk
5 gram agar-agarpoeder of -vlokken
(1 kleine eetlepel lecithine granulaat 98%, fase II)
250 gram rijpe aardbeien
4-5 eetlepels diksap, appel-aardbeien of appel-bosvruchten

Zet de vloeistof in een pan op het vuur en strooi er de agar-agar bij, aan de kook brengen en nog 2-3 minuten zachtjes laten doorkoken.

Intussen de aardbeien wassen en de kroontjes ervanaf snijden.

Overdoen in de beker van de keukenmachine/staafmixer en samen met het diksap pureren.

Het agar-agarmengsel af laten koelen en er, naar keuze, de lecithine bij roeren zodat deze alvast kan oplossen. De lecithine geeft een wat "romig" effect, maar is niet noodzakelijk om toe te voegen.

Het agar-agarmengsel bij de aardbeienpuree schenken terwijl de machine draait, nog iets laten opstijven, nog eens mixen en het geheel dan overdoen in de schaaltjes waarin ook geserveerd wordt.

Erom denken dat er niet teveel tijd zit tussen de bereiding en het serveren van dit gerechtje als er zuivel gebruikt wordt, zie ook de gebruiksaanwijzing bij de agar-agarverpakking.

TIP: ^N Tuinkers is lekker op volkorenbrood ^K of op salades eventueel besprenkeld met citroen- of limoensap, maar ook verrassend in soep.

Bloemkoolvariatie ﹀

2 Personen

1 bloemkool
enkele eetlepels slag-, garde-, soja-, of zure room

Kook de in roosjes verdeelde bloemkool gaar in een bodempje water giet af en laat, op een laag pitje, nog even het vocht verdampen.

Doe over in de beker van de keukenmachine/staafmixer en pureer samen met de room tot een mooie homogene massa, breng op smaak met zout en peper, nootmuskaat of kerrie.

Warm eventueel nog even door op een laag pitje, voorzichtig in verband met het schiften van de soja- of zure room!

Serveer bij beetgaar gekookte bloemkool- en broccoliroosjes, naar keuze vermengd met in heel kleine blokjes gesneden rauwe radijsjes en komkommer.

Tahoe-tomaatdip ⌣

2-3 Personen

70 gram tahoe/tofu
70 gram tomatenpuree ⚓ of uit een blikje/potje
1 eetlepel olijfolie
(70 gram (15) gemengde olijven zonder pit)

Prak de tahoe samen met de tomatenpuree en de olijfolie fijn.
Snijd de olijven in kleine stukjes en meng met de "dip", garneer met verse of gedroogde peterselie.

Lekker op plukjes (gemengde) sla of om te dippen met groenten zoals paprika, geblancheerde bloemkool en -bleekselderij.

TIP: ⌐ Volkorenbrood besmeerd met uitgelekte magere kwark of - yoghurt vermengd met (lekker veel) Zwitserse strooikaas 1% vet, kartonnen busje.

TIP: ⌐ Supersnelle ijsjes zijn zo gemaakt; roer door 100 ml magere yoghurt 1-2 theelepeltjes diksap, schenk in de ijslollievormpjes en laat vriezen.

Peultjes met kiemgroentesalade ⟋

2 Personen

200 gram peultjes
100 gram(zelfgekiemde)gemengde peulvruchten
3 lenteuitjes
2 eetlepels citroen- of limoensap
(1 theelepel mosterd, zonder suiker!)
(sla)

Peultjes wassen en ontdraden en in weinig water 3 minuten koken, de kiemgroenten eraan toevoegen en nog 2 minuten laten koken.
Beide groenten overdoen in een zeef of vergiet en met koud water afspoelen.
De lenteuitjes in smalle ringetjes snijden, mengen met het citrussap en naar
wens op smaak brengen met (kruiden)zout.
Dit "sausje" over de groenten schenken, goed mengen en serveren op een
bedje van (verschillende soorten) plukjes sla.

Warm is peultjes/kiemgroentemix ook heerlijk door volkorenmacaroni of -
spaghetti, kook de groenten dan eventueel in de laatste 3 minuten mee met
de pasta. Ook dan lekker met het zure sausje erdoor en naar wens nog een
scheutje magere yoghurt of - kwark.

TIP: ⟋ (Zelfgemalen) boekweit- haver- en quinoavlokken een nacht geweekt in karnemelk en vermengd met magere kwark.

Aardbeiensaus ĸ

Ongeveer 300 ml saus

250 gram rijpe aardbeien*
3-5 eetlepels (appel-)aardbeien- of (appel-)bosvruchtendiksap

Was de aardbeien en verwijder de kroontjes. Pureer ze, met het diksap, met de keukenmachine of de staafmixer en laat in de koelkast koud worden.

Heerlijk met (ronde)zilvervliesrijst ⚓, muntrijst ⚓ en/of (uitgelekte) magere kwark of -yoghurt.
In fase II over (bevroren) stijfgeslagen slag- of garderoom of (uitgelekte) volle kwark/yoghurt.
Of vermengd met een scheutje sojaroom.

De aardbeien kunnen ook worden vervangen door ander zomerfruit zoals bramen of frambozen, kies dan voor een bijpassend diksap.

TIP: ⌣ Gemengde salade van hardgekookt ei, uiringen, komkommer, tomaten, dragon, paprikapoeder, zout en peper.

Auberginesurprise ⌄

2 Personen

1 aubergine

6, niet te grote, stevige tomaatjes

1 ui

1 prei

ong 15 cm rettich

olijfolie

(knoflook)

100 - 150 gram (gemengde)olijven zonder pit

Halveer de aubergine en bestrooi de helften met zout. Laat ongeveer een half uurtje intrekken.

Snijd van de tomaatjes de kapjes en een heel dun plakje van de onderkant zodat de tomaat rechtop kan blijven staan.

Haal de zaadlijsten eruit met een theelepel of een boter- of meloenbolletje-slepel maar bewaar de zaadlijsten én de kapjes.

Pel en snipper de ui, snijd de prei in ringen en spoel af, schil en rasp de rettich. Verhit in een hapjespan een scheut olie en voeg hier de ui, (knoflook in stukjes), rettich en zaadlijsten van de tomaten aan toe.

Wrijf met een keukenpapiertje het zout van de aubergine en schep het vrucht-vlees (met een boterbolletjeslepel) eruit, laat een ½ cm vanaf de schil staan! Doe het vruchtvlees bij de tomaat in de pan, schenk er wat water bij en laat dit mengsel, met het deksel op de pan, ongeveer 30 minuten pruttelen.

Bestrooi de uitgeholde auberginehelften weer met zout.

Warm de oven voor op 200°C en vet een (pie)vorm in met olie.

Pureer de aubergine-tomaatmassa, samen met de olijven, in de keukenmachi-ne of met de staafmixer.

Wrijf het zout van de uitgeholde auberginehelften en verdeel de puree over de uitgeholde aubergine en tomaatjes. Plaats de gevulde groenten in de vorm en schep het teveel aan puree in de vorm met een scheutje water*.

Laat het gerecht in 15-20 minuten door en door heet worden.

Strooi eventueel, in de laatste paar minuten, enkele eetlepels droog geroos-terde pijnboompitten over de puree en plaats de kapjes op de tomaten.

Lekker met plukjes van verschillende slasoorten en kwarknaise ⚓, mayonaise of tofunaise zonder suiker.

---

* *Tot zover kan dit gerecht voorbereid worden en pas veel later in de oven worden opgewarmd.*

Tomatenketchup -saus ⎰

Ongeveer 500 ml ketchup of 1000 ml saus.

1 kg rijpe soeptomaatjes
1 paplepel sambal of 2 fijngehakte rode pepertjes
50-75 ml ume-su* of (appel)azijn* en (kruiden)zout
3 eetlepels appeldiksap
1 paplepel paprikapoeder
1 theelepel gedroogde basilicum,
Provençaalse- of Italiaanse kruiden

Snijd de tomaatjes in stukken in een pan en meng er de overige ingrediënten bij. Laat dit alles 30 minuten, met het deksel op de pan, op een laag pitje pruttelen.
Pureer met de keukenmachine/staafmixer en wrijf door een grofmazige zeef, zodat alleen de velletjes en de pitjes achterblijven in de zeef.

Deze saus is heerlijk over volkorenpasta/soba, maar ook bij een witte bonenschotel.

Voor ketchup de zeef boven een wijde pan hangen, de saus erdoor wrijven en in 30 minuten op hoog vuur, zonder deksel en onder af en toe roeren, tot ongeveer de helft laten inkoken De saus kan ook, als deze koud geworden is, worden gebonden met Tartex biobin, dit is een "neutraal" bindmiddel zonder vet/koolhydraten, kijk voor de gebruiksaanwijzing op de verpakking.

* *Door het gebruik van ume-su is dit een zout-zure saus. Gebruik, als dit liever niet gewenst is (appel)azijn.*
Het is, in de tijd dat er volop soeptomaatjes zijn, een leuke bezigheid om met verschillende soorten smaken azijn/kruiden te experimenteren. Denk er dan wel om, om de gebruikte azijn/kruiden erbij te vermelden op het etiket. Wanneer de ketchup niet voor direct gebruik bestemd is, vul dan kleine, met kokendheet sodawater omgespoelde, potjes of flesjes en dekseltjes met deze ketchup, dan kan bij een maaltijd ieder een keuze maken uit haar/zijn favoriete smaakje.

TIP: ⌣ Tussen-de-middagsalade, tomaat, gemengde olijven, sjalot/bosuitjes en hardgekookt ei op een bedje van sla.

Paprikasalade ~
2-4 Personen

1 ui
2 gele paprika's
2 rode paprika's
stukje van een groentebouillonblokje, (-pasta of -poeder)

De ui pellen, in ringen snijden en in de anti-aanbakkoekenpan op een heel laag vuur 2-3 minuten glazig laten worden.
De paprika's wassen, halveren, zaadlijsten verwijderen, in reepjes snijden en 2 minuten met de ui meestoven.
5 Eetlepels water en de bouillon toevoegen en met het deksel op de pan in 10 minuten laten garen.

Warm als bijgerechtje, maar lauw tot koud in de zomer ook lekker bij allerlei gerechten: ⟋ zilvervliesrijst, quinoa, andere (gemixte) gekookte granen, volkorenpasta, peulvruchten, volkorenbrood, beetgaar gekookte broccoli en/of sperzieboontjes of ∨ omelet met salade.

Aardbei-appelsaus K

500 gram aardbeien
500 gram jonagold of gelijksoortige appel

Was de aardbeien en verwijder de kroontjes, doe ze in een grote pan.
Schil de appels, snijd in vieren, verwijder de klokhuizen en snijd ze, boven de pan met aardbeien, in kleine stukjes.
Kook het fruit, in 20-30 minuten en met het deksel op de pan, zacht. Roer af en toe.

Voor direct gebruik af laten koelen en in de koelkast koud laten worden* of voor later gebruik de hete massa overdoen in met kokendheet sodawater omgespoelde (jam)potjes met twist-off deksels.

Heerlijk door magere yoghurt of - kwark, of als extraatje bij koude (ronde)zil-vervliesrijstpap of volkorengriesmeel.

* Als de saus koud is kunnen er ook likijsjes van worden gemaakt met ijslollievormpjes, proef dan van tevoren of de saus zoet genoeg is en roer er, als dit niet zo is, eventueel een scheutje aardbeidiksap door. In de vormpjes schenken en na 2-3 uur in de vriezer te hebben gestaan zijn de ijsjes zover.

Bieslook-sojasmeersel ⌄

250 gram tahoe/tofu
½ bosje, dus ruim bieslook
zout

Haal de sojakaas uit de verpakking en laat, op een paar keer dubbelgevouwen keukenpapiertje het meeste vocht eruitlekken, of knijp het er, tussen twee handen, even uit.

Doe, in stukken gesneden, over in de beker van de keukenmachine/staafmixer, samen met de bieslook en pureer gedurende enkele minuten tot een mooi homogeen mengsel.

Maak op smaak met zout.

Dit prachtig groen gekleurde mengsel is heel decoratief én smakelijk om, als toefjes, op de rand van een bord te spuiten bij een groene groente.

Is in fase II heerlijk op volkorenbrood of -knäckebröd en zilvervlies-, boekweit-, of gerstewafels.

Kaassoep ⌣

2 Personen

500 ml (zelfgetrokken)groentebouillon ⚓, of van een blokje, pasta of poeder

2 eieren

50-75 gram geraspte (geiten)kaas

(8 takjes basilicum/peterselie of gebruik gedroogde kruiden of kies voor komijn-
of kummelzaadjes)

Breng de vloeistof aan de kook, roer de eieren los met een garde en voeg hier onder goed roeren 4 eetlepels van de kokende bouillon aan toe.

Meng, met de garde, het eimengsel bij de rest van de hete bouillon, die inmiddels op een heel laag vuurtje staat. Beslist niet meer laten koken! Maak eventueel gebruik van een vlamverdeler.

Strooi de kaas erbij en laat deze in ongeveer 5 minuten smelten.

Laat, naar eigen smaak heel fijngeknipte basilicum of peterselie of zaadjes, samen met de kaas meewarmen.

Deze kaassoep is lekker als voorgerecht bij een niet zo uitgebreide vetmaaltijd, reken voor meer personen per persoon op ongeveer 250 ml bouillon, 1 ei en 50 gram kaas.

De soep kan in een ommezien worden omgetoverd tot een maaltijdsoep door er beetgaar gekookte groenten* aan toe te voegen, lekker is broccoli/courgette/sperzieboontjes/(kastanje)champignons.

In fase II de soep serveren met volkorenbroodfantasie of -croutons ⚓.

---

* *Kook de groenten eerst even in de groentebouillon.*

Rabarbermoes ᴋ

2-4 Personen

500 gram rabarber
40-50 ml appeldiksap
(1 theelepeltje krijt)
1-2 eetlepels (zelfgemalen)boekweitvlokken of -meel

Schil en ontdraad de oudere rabarberstengels, verwijder de uiterste einden en snijd vervolgens in "blokjes". Was en zet de rabarber op met weinig water, op een middelmatig hoog vuur, roer af en toe met een houten lepel en let op dat het niet verbrandt.

Meng het krijtpoeder met het diksap en schenk dit na ongeveer 10 minuten bij de rabarber in de pan. Laat nog eens 10 minuten koken, onder af en toe roeren, roer er dan de boekweit door, laat even binden en serveer de rabarber lekker warm of juist ijskoud.

Een met wat diksap stijfgeslagen eiwit door de rabarber geschept geeft een "mousse". Maar ook een scheutje sojaroom (fase II) maakt de smaak af.

Deze moes is ook heel geschikt om op een rijstbodem ⚓ te scheppen. IJskoud geserveerd een bijzonder hapje bij een kopje (kruiden)thee.

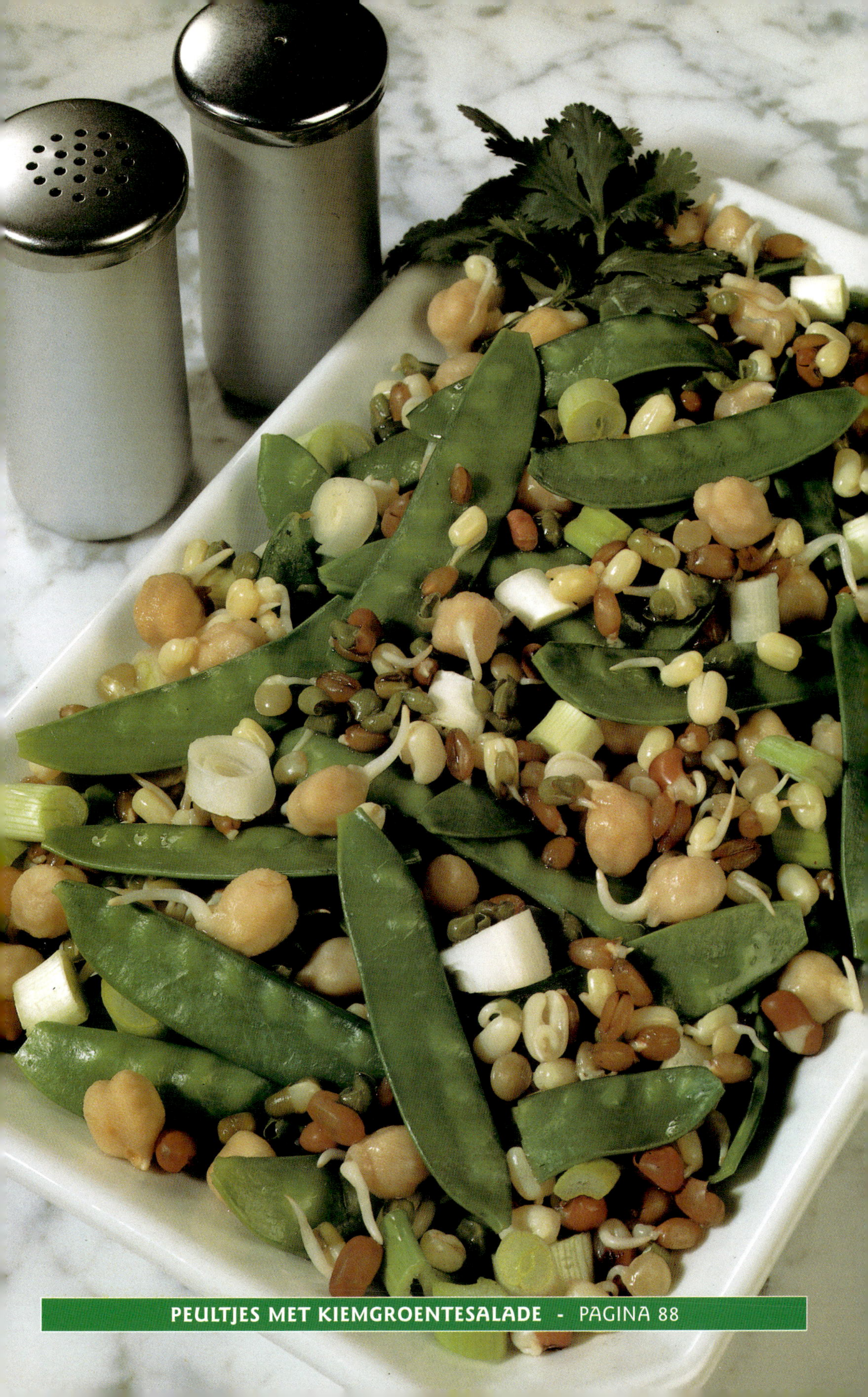

PEULTJES MET KIEMGROENTESALADE - PAGINA 88

Artisjokbodems met gedroogde tomaat ∨
4-8 Personen

8 artisjokbodems (blik of pot)
125 gram gedroogde tomaten op olie
8-12 basilicumblaadjes of een paplepeltje gedroogde basilicum
eventueel 2 eetlepels geraspte Parmezaanse kaas
of oude gemalen geitenkaas of 30 gram (geiten of schapen)feta
1 teentje knoflook uit de pers

De artisjokbodems laten uitlekken en de tomaten heel fijnsnijden. De stukjes tomaat mengen met de basilicum en de eventuele andere ingrediënten en de artisjokbodems vullen.

Heerlijk voor- of bijgerechtje maar ook als hartig hapje bijzonder smakelijk als onderdeel van een hapjestafel ⚓.

TIP: ∨ Eikenbladsla met in de olijfolie gebakken plakken courgette, tomaat en daarna gemengd met blokjes (geiten- of schapen-)feta.
Of ⤸ eikenbladsla met linzenrijstpuree ⚓.

Chocolade- of carobdrank

(fase II)

1-2 Personen

50 gram chocolade- (> 70% cacao) of carobtablet

300 ml (soja)melk of water

50-100 ml sojaroom

Maak de chocolade/carob klein, dit gaat heel makkelijk op een snijplank met een scherp mes, en los de brokjes boven laag vuur op in enkele eetlepels van de melk/water. Breng de rest van de melk/water aan de kook en roer bij de chocolade/caroboplossing.

Laat de chocolade/carob 2 minuten héél zachtjes pruttelen. Laat iets afkoelen. Schenk een scheutje sojaroom in een beker/kom en giet er de hete oplossing onder goed roeren bij. Proef en voeg naar smaak meer sojaroom toe.

Gebruik warm in de winter of koud in de zomer, als de drank is afgekoeld wordt het "lobbig" van structuur het is dan ook lekker om te gebruiken als dunne vla.

Bij gebruik van carob is het het lekkerst, om als de drank koud wordt gedronken, deze via een fijne zeef over te gieten in een andere beker/kom.

TIP: Magere yoghurt of - kwark met stijfgeslagen eiwit met diksap van een smaak naar keuze; eerst het eiwit stijfkloppen met een scheutje citroen- of limoensap en er dan het scheutje diksap bijschenken, nog 3-5 minuten mixen. Dit geeft een heerlijk luchtig en toch "vol" gerechtje.

Ui gevuld met geiten- of schapenkaas ⌄

4 Personen

4 grote uien

1 ei

100 gram harde (geraspte) geiten- of schapenkaas

1 eetlepel Italiaanse- of Provençaalse kruiden

De oven voorverwarmen op 175°C.

De worteltjes van de ui tussen duim en wijsvinger eraf draaien en de uien, met de schil er nog om, op het rooster boven een lekbak zetten en in 1 uur gaar laten worden.

Het ei met peper loskloppen, de kaas erdoor roeren of erboven raspen met een raspschaaf en samen met de kruiden door het ei mengen.

Als de ui wat is afgekoeld het kapje eraf snijden en opzij leggen.

Van de uien de middelste "rokken" eruit halen, gaat makkelijk met een vork, maar de buitenste 2-3 rokken ui laten zitten.

De uipulp klein snijden, door het ei-kaasmengsel roeren en de uien weer vullen met dit mengsel, het kapje erop zetten en in de oven in 15 minuten het ei laten garen.

Heerlijk met beetgaar gekookte groente zoals sperziebonen en tomatensla, eventueel gemengd met groene en zwarte olijven.

TIP: ⌐ Maaltijdsalade van komkommer, sla, radijs, tomaat, bleekselderij, (noten- of zaden)olie en drooggeroosterde groene pompoen- of pijnboompitten.

Yoghurt-limoenijs ↙

1-2 Personen

1 eiwit* + **
1-2 eetlepel(s) limoensap
1-2 eetlepels tropical dreamdiksap
150 ml magere yoghurt

Klop het eiwit met het limoensap stijf, en klop daarna het diksap bij het eiwit terwijl de mixer op de hoogste snelheid draait. Mix 3-5 minuten tot zeer stijf. Mix de yoghurt luchtig.

Schep het eiwit door de yoghurt, doe in een vorm die de vriezer in kan en laat in 2-3 uur bevriezen.

Serveer zo uit de vorm of stort op een bordje en garneer naar keuze met wat geraspte (uit de vriezervoorraad) limoenschil* of enkele muntblaadjes.

Als dit yoghurtijs langer in de vriezer staat, moet het ruim ½ uur voor het gebruik uit de vriezer worden gehaald omdat het anders te ijzig is om te kunnen serveren.

* *Vermeerder door op elke 150 ml yoghurt 1 eiwit stijf te slaan, voeg het limoensap toe naar smaak. Vries in in bijvoorbeeld een cakeblik, stort en serveer in plakjes gesneden.*

**Kijk bij de ∨ *index voor eidooierreceptjes.*

Rettich + wortelsalade K

2-4 Personen

300 gram (rode)rettich
300 gram rauwe (winter)wortel
3 eetlepels ume-su
(1 bakje daikonkers/tuinkers of bieslook)

Schil en rasp de beide groenten fijn, doe ze in een schaal en roer er de ume-su door.
Knip de kers/bieslook erboven en meng door de rauwkost.

Lekker dik op volkorenbrood scheppen* en naar smaak nog bestrooien met peper en/of fijngeknipte bieslook.

Of serveren als onderdeel bij een koolhydraatmaaltijd.

* *Als de salade nog even blijft staan voordat het op brood gebruikt wordt, doe dan over in een zeef/vergiet om het vocht weg te laten lopen.*

Kerstomaatspiesjes ⌄

1 bakje kerstomaatjes*
200 gram jonge (geiten)kaas, een plat stukje
1 bosje basilicum

Was de tomaatjes, verwijder de kroontjes, en halveer ze.
Snijd de kaas in niet te grote, gelijke blokjes.
Steek achtereenvolgens een half tomaatje, een basilicumblaadje, een stukje kaas, een blaadje basilicum en een half tomaatje aan een houten (saté)prik-kertje.
Bestrooi de spiesjes naar keuze met wat (kruiden)zout.
Eet deze spiesjes bij beetgaar gekookte groenten of serveer ze bij een barbe-cue of hapjestafel ⚓.

Soms is er keuze tussen rode en gele kerstomaatjes, het is misschien een leuke sug-gestie om geitenkaas een rood en andere soort kaas een geel kerstomaatje te geven. Lekker met de hieronder beschreven peultjes.

Peultjes + veel fijngeknipte bieslook ∿
2 Personen

300 gram peultjes
30- 40 sprieten bieslook

Kook de peultjes beetgaar in 4-5 minuten en knip de bieslook erboven.

Aardbeibonbons

(fase II) eventueel ook geschikt voor fase I

Wachttijd 30-40 minuten, niet langer!

6-8 aardbeien
50 ml slag-, of garderoom*
2 eetlepels (appel-)aardbeidiksap

Zorg voor mooie, grote aardbeien. Was ze in koud water en snijd er dan het kapje met het kroontje vanaf. Hol de aardbeien met een scherp mesje uit en leg ze even opzij.

Klop de room stijf en roer er dan het diksap door, doe over in de garneerspuit en spuit de room in de uitgeholde aardbeien.

Leg de aardbeien op een (dien)blaadje en zet dit in de vriezer, haal de "bonbons" na ongeveer 30-40 minuten weer uit de vriezer om te serveren. Een langer verblijf in de vriezer komt de structuur van de aardbeien niet ten goede, ze worden "dweilerig". Mocht het onverhoopt toch voorkomen haal dan de aardbeibonbons ruim een half uur vóór het serveren uit de vriezer, anders zijn ze ook nog ijzig.

Er kan ook gekozen worden voor andere vulling dan room, zie hiervoor bij diksap toefjes ⚓. Met magere kwark of eiwit ⚓ ook geschikt voor fase I.

Groene asperges met een Indisch tintje ∿

2 Personen

in pannenkoekjes

In fase I (& II) zijn de asperges ook heerlijk om te eten met Aziatische kleefrijst ⊾.

pannenkoekbeslag ⚓, pag. 243
400-500 gram groene asperges
1 prei
2 kleine uitjes
1-2 teentjes knoflook
3-5 eetlepels tamari of shoyu
1 theelepel gemberpoeder
1 theelepel laos
150 gram taugé

Bak eerst de pannenkoekjes en houd ze warm. Bereid het groentemengsel.
De asperges wassen, de onderste stukjes wegsnijden en de rest in smalle ringetjes snijden, de kopjes in hun geheel achterhouden.
De prei in ringen snijden en daarna wassen. De uitjes schillen en in ringen snijden. Zet de anti-aanbakpan of -wok op de warmtebron, leg er de preiringen in voeg de sojasaus toe en pers de knoflook erbovenuit. Laat de prei, op niet te hoog vuur, in 5 minuten slinken.
Voeg er de aspergeringetjes en de ui aan toe, zet het vuur even hoog en strooi er de gember- en laospoeder over. Zet het vuur laag en giet er enkele eetlepels water bij. Laat dit alles, met het deksel op de pan, ongeveer 15 minuten staan. Schep er de, met heet water omgespoelde, taugé doorheen en laat dit nog even 5 minuten meesmoren.
Kook de aspergekopjes, in weinig water, in 5 minuten zacht.
Schep op ieder pannenkoekje wat van het groentemengsel, rol dit op en leg in een schaal die op een warmhoudplaatje kan, of zet de schaal 15 minuten in een oven die op 200°C is voorverwarmd.
Leg de aspergekopjes op de gevulde rolletjes en houd de schaal, aan tafel, warm op een rechaud.
In plaats van rolletjes kan er ook een "taart" worden gemaakt; pannenkoek, groentemengsel, pannenkoek en zo verder tot alle ingrediënten opgebruikt zijn. Denk er wel om, om ook de taart goed warm te houden.

Lavendelvinaigrette ⌄

Wachttijd 1-8 uur.

3 eetlepels neutrale olie
1 eetlepel limoen- of citroensap
1 eetlepel gedroogde lavendel
of 1 theelepel groene, fijngeknipte blaadjes van een nog niet bloeiende lavendelstruik

Meng de olie met het citrussap en strooi er de lavendel door, laat dit enige tijd "marineren".
Serveer als zodanig of zeef de lavendel eruit, wrijf dan wel even met de bolle kant van een lepel over de lavendel zodat de olie eruit geperst wordt.

Lekker om een snufje gemberpoeder toe te voegen en te serveren bij bijvoorbeeld geraspte komkommer of slamixture.

Quinoamengsel ⌐
2-8 Personen

150 gram quinoa
2 sjalotjes
1-2 teentjes knoflook
zout, 1 theelepel sambal of tabasco (of meer!)

Kook de quinoa in de aangegeven tijd gaar en laat, op een heel laag pitje, het eventuele vocht nog even verdampen.
Doe de quinoa over in de beker van de keukenmachine samen met de in stukken gesneden sjalotjes, knoflook zout en sambal of tabasco. "Pureer".

Gebruik het quinoamengsel als volkorenbrood- of rijstwafelbeleg, in de bonenquinoamélange ⚓ of vul er courgette of tomaatjes ⚓ mee.

Rijstpuddinkje van ronde rijst ⟋
2 Personen

100 gram ronde zilvervliesrijst
water, sojamelk of magere melk
2 eetlepels (zelfgemalen)boekweitvlokken of -meel

Was de rijst en zet deze op met zoveel vloeistof als staat aangegeven op de verpakking.

Breng aan de kook en laat dit ongeveer 3 kwartier zachtjes pruttelen, roer de boekweit door een scheut water, schenk dit door de rijst en laat binden. Pas wel op dat het op het laatste moment niet aanbrandt, boekweit brandt snel aan!

Als de kooktijd om is, zilvervliesrijst meestal een uur, doe het geheel dan over in een vorm of in 2 kleinere vormpjes. Laat afkoelen en zet in de koelkast om koud te worden en op te stijven.

Heerlijk met aardbeiensaus ⚓*.

Ook een scheutje (soja)room, in fase II, door de rijst geroerd wanneer deze al van het vuur is, geeft een smakelijk effect.

In fase II is het als variatie ook lekker om eens een paar eetlepels geraspte kokos en/of eventueel een klein handje ongezwavelde rozijntjes met de rijst te laten meekoken.

---

* *In de winter, als er geen "zomerkoninkjes" zijn om de saus te bereiden, fungeert appel-aardbeidiksap of een andere diksap naar smaak óók heel goed.*

Komkommersaus ⌄

Wachttijd 2-3 uur voor het marineren van de komkommer.

300-400 ml saus

1 komkommer
1 sjalotje
1 eetlepel Italiaanse- of Provençaalse kruiden
1 teentje knoflook
100 ml olijfolie
50 ml appel- of rode wijnazijn
2-4 eetlepels zure room of crème fraiche

De komkommer schillen en boven een kom in stukjes snijden. Het sjalotje pellen, snipperen en samen met de kruiden en de in stukjes gesneden knoflook door de komkommer scheppen.
De olie en de azijn erdoor roeren en onder af en toe roeren, ongeveer 2-3 uur, laten marineren.
Met de keukenmachine of staafmixer pureren en door een zeef wrijven.
Voor het serveren de room of crème erbij roeren en eventueel op smaak brengen met zout/peper en bestrooien met dilletoppen.

Dit sausje is een frisse begeleiding bij barbecue ⚓ of groentebouillonfondue ⚓.

Rode salade *K*

2-4 Personen

1 krop eikenbladsla
1 krop rode sla
1 rode ui
1 eetlepel dillezaadjes
100 ml magere yoghurt

De eikenbladsla en de rode sla schoonmaken, in stukjes scheuren en mengen.
De ui pellen, in heel smalle ringen snijden en op de sla leggen.
De dille door de yoghurt roeren en over de sla+ui schenken of apart serveren.

Kiemgroente-pastamix *K*

2 Personen

200 gram (schelpjes)volkorenpasta van kamut, tarwe of soba
200 gram gekiemde peulvruchtenmix

Kook de pasta volgens de gebruiksaanwijzing op de verpakking, maar voeg er, 2-3 minuten vóór het einde van de kooktijd, de peulvruchtenmix .aan toe. Maak naar wens op smaak met tamari/shoyu, (kruiden-) of selderijzout.
Lekker met beetgaar gekookte groenten/gestoofde kool of bovenstaande rode salade.

Ook lekker als lauwe pastasalade met een scheutje magere yoghurt erdoorheen geroerd als middaghapje maar ook als onderdeel bij een uitgebreidere maaltijd.

Aardbei-mangosorbet ⟋

2-6 Personen

Wachttijd 1-2 uur.

150 gram aardbeien

150 gram mango, zonder "haren"

1 eiwit*

1-3 eetlepels (appel-)aardbeiendiksap

Was de aardbeien in een bakje met koud water en verwijder de kroontjes.
Schil de mango en snijd in stukken. Pureer samen met de aardbeien in de keukenmachine of met de staafmixer, doe over in een kom die de vriezer in kan
en laat daar ongeveer 1 uur in staan.

Klop het eiwit stijf met het citrussap en een snufje zout. Schenk er dan het
diksap bij en mix, met de mixer op de hoogste stand, nog eens 3-5 minuten
tot zeer stijf. Haal de aardbei/mango uit de vriezer en mix de vruchtenpuree
zacht.
Schep het diksap-eiwit voorzichtig door de puree, doe over in een (cake-of
tulband)vorm en plaats weer terug in de vriezer.

Na 1-1,5 uur is deze sorbet zover dat het kan worden gestort, in plakjes
gesneden en gegeten.
Langer in de vriezer staan doet echter niet af aan de smaak.

* Kijk bij de ⌣index voor eidooierreceptjes.

TIP: ⟋ Volkoren(quinoa)spaghetti met gekookte peultjes + kiemgroentemix
en veldsla-salade met tomaat en citroenyoghurtdressing.

Zeekraal-worteltjesrauwkost

(fase II)

2-4 Personen

Wachttijd 1-8 uur.

100 gram zeekraal

100 gram worteltjes (3-4)

1 eetlepel sesamolie

1-2 eetlepels sesamzaadjes

Spoel de zeekraal goed af onder stromend water en laat uitlekken.

Dunschil de worteltjes, snijd ze in de lengte in vieren of in zessen en vervolgens in heel kleine blokjes. Schep door de inmiddels kleingesneden zeekraal en schenk er de olie over.

Zet weg op een koele plaats.

Meng, vlak voor het serveren, de sesamzaadjes erdoor.

Heerlijk als complete middagsalade, maar ook als voor- of bijgerechtje.

TIP: ⌣ Bloemkool en broccoli gekookt in groentebouillon en daarna gepureerd met avocadovruchtvlees.

Komkommersoep ijskoud ⌄

2-4 Personen

Wachttijd ongeveer 12 uur voor het uitlekken van de yoghurt.

1 komkommer
1 liter volle (geiten- of schapen)yoghurt
1 teentje knoflook
150-250 ml (bron)water uit de koelkast
100 gram gepelde en grofgehakte walnoten
1-2 eetlepels walnotenolie (of eventueel olijfolie)

De komkommer schillen, ⅔ deel raspen en ⅓ deel in heel kleine blokjes snijden boven een kom.
De uitgelekte yoghurt tot ongeveer 750 ml aanvullen met het ijskoude water en de knoflook erboven uitpersen, goed mengen en door de komkommer mengen.

Het is lekker om, als de soep geserveerd wordt, in het midden van ieder portie ½ eetlepel walnotenolie te schenken en hier de walnoten op te leggen. Garneer eventueel met verse dille of gedroogde dilletoppen.

TIP: ⌄ Olijven-avocadoboter ⚓ op een bedje van sla, bestrooid met fijngehakte walnoten en gegarneerd met in de olie gemarineerde bleekselderij ⚓, in fase II ook nog aangevuld met donker roggebrood.

Diksaptoefjes van kwark, eiwit of room

Met magere kwark ⟋

100 gram (uitgelekte) magere kwark of in fase II uitgelekte volle kwark
2 eetlepels diksap, smaak naar keuze

Mix de kwark samen met het diksap romig en luchtig, doe dit direkt in ser-
veerschaaltjes of spuit met een garneerspuit toefjes.
Deze toefjes kunnen ook worden ingevroren. Leg hiervoor een stuk ongebleekt bakpapier op een dienblaadje en spuit hierop de toefjes.
Plaats in de vriezer en na een uurtje zijn ze bevroren.

Met eiwit = ∿, samen met diksap ⟋

1 eiwit
1 theelepeltje citroen- of limoensap
snufje zout
3-4 eetlepels diksap, smaak naar keuze
3-4 eetlepels koud water*

Klop het eiwit samen met het citrussap en het zout, als het stijf is giet er dan,
terwijl de mixer op hoog toerental draait, het gekozen diksap bij.
Mix gedurende 5-7 minuten tot heel stijf en schenk er het water bij.
Het schuim kan nu met een garneerspuit in toefjes worden gespoten op een
bordje, maar het kan ook op een vetvrij bakpapiertje in de vriezer worden
gezet. Na een klein uurtje is het dan een "ijsje" geworden.

* *Het water is nodig om te laten vriezen.*

Met slag-, of garderoom
(fase II)

100 ml room
2-3 eetlepels diksap, smaak naar keuze

Sla de room bijna stijf, schenk er dan het diksap bij en ga verder te werk als
bovenstaand.

Besjestaart met bodem
(fase II)

Wachttijd tenminste 2 uur.

voor de bodem*

200 gram (door een grove zeef)gezeefd tarwevolkorenmeel

mespunt zout

5 eetlepels neutrale olie

2 eetlepels (appel-)bosvruchtendiksap

3 eetlepels ijskoud water

overjarige bonen/hazelnoten of glazen knikkers

Maak de bodem als eerste.

Doe alle ingrediënten behalve het water in de keukenmachine en draai met het sikkelmes tot een samenhangend geheel.

Voeg er op het laatst het water aan toe.

Haal het deeg uit de keukenmachine en vorm, met koude natte handen tot een bal en leg deze, in plastic folie verpakt, in de koelkast. In ieder geval twee uur, maar deze deegbal blijft in de koelkast een paar dagen goed.

Verwarm de oven voor op 200° C.

Bekleed de vorm met ongebleekt bakpapier.

Rol de bal uit tot een ½ cm dikke lap ter grootte van de springvorm of gebruik een losse, naar gewenste grootte te verstellen taartrand van metaal. Leg de lap in de vorm en maak eventueel nog een opstaand randje.

Bedek de lap met aluminiumfolie en strooi hierop een bodempje overjarige gedroogde bonen** Zet in de oven en bak 10 minuten mèt en 10 minuten zonder steunvulling. Laat afkoelen.

* *De deksel van de appelcrunch ⚓ is ook te gebruiken als (glutenvrije)bodem; laat het deeg dan niet langer dan 2 uur rusten.*

** *Deze bonen of steunvulling en het alufolie zijn meermaals voor dit doel te gebruiken, makkelijk om te bewaren bij de bakspullen.*

Vervolg Besjestaart met bodem, pag. 115.

Voor de vulling

500 gram rode besjes

100 ml appel-bosvruchtendiksap

100 ml water

1 zakje agar-agarpoeder of 5 gram -vlokken

Was en rits de besjes en zet ze 2-12 uur te marineren in het diksap, roer dit af en toe om.

Doe ze daarna over in een zeef of vergiet, maar vang het vocht wel op, kook dit vocht, samen met het water en de agar-agar, 2-3 minuten.

Roer er dan de besjes door, laat ietsjes afkoelen en strijk over de taartbodem.

Het is decoratief om langs de rand van de taart wat bessenstruik- of muntblaadjes te leggen en er enkele, wel of niet bevroren, kwark-, eiwit-, of slagroom diksaptoefjes ⚓ op te spuiten.

Framboos-walnootvinaigrette ⌄

Meng 1 deel framboosazijn (Montignac) op 2 delen walnootolie, voeg naar smaak peper/zout/knoflook toe.

Lekker bij allerlei salades, maar ook verrukkelijk om artisjokblaadjes in te dippen.

ZOMER

Artisjokken ∿,
afhankelijk van het gekozen dipsausje ⌐of ⌄

1 artisjok per 1-3 Personen

Was de artisjok en snijd de steel en de onderste blaadjes weg, zodat ze stevig kan staan. Knip eventueel bruine punten van de blaadjes af.
Kook de artisjok gaar in ruim water, laat de artisjok zoveel mogelijk onder water staan, waaraan wat zout en een scheutje azijn of citroensap is toegevoegd.
De kooktijd varieert van 40-60 minuten. Laat de artisjok ondersteboven uitlekken.

Pluk aan tafel blaadje voor blaadje af, dip de blaadjes in bijvoorbeeld de framboos-walnootvinaigrette die hierboven beschreven staat en/of de ⌄ geitenkwarkvinaigrette ⚓en zuig het zachte deel van het blad. Het harde bladdeel is niet eetbaar.

Of een dipsausje op basis van magere yoghurt of - kwark ⌐.

Verwijder de laatste kleine blaadjes en het "hooi".
Het lekkerste deel van de artisjok, de bodem blijft over. Verdeel in stukjes en eet met de resterende vinaigrette/saus.

Romige karnemelk-sojadrank
(fase II)

3 eetlepels citroen- of limoensap
200 ml ijskoude (boerenland)karnemelk
6 eetlepels ijskoude sojaroom

Doe alle ingrediënten in de beker van de staafmixer of in een goed af te sluiten glazen pot, mix of schud en drink.
Heerlijk in de zomer.

TIP: ⌣ Avocado met bosuitjes, reepjes ijsbergsla en saffloerolie met basilicum.

TIP: ⌐ Mix van zilvervliesrijst + wilde rijst, geblancheerde bleekselderij en
tomatensaus ⚓.

Rode besjesgelei ↰
2-4 Personen

Wachttijd tenminste 1 uur.

150 gram rode besjes
3-5 eetlepels diksap, (appel-)bosvruchten of vlierbes
100 ml water
5 gram agar-agarpoeder of -vlokken

Was de besjes rits ze en roer het diksap erdoor, zet weg en laat gedurende 1-12 uur marineren.
Doe de besjes over in een vergiet of zeef maar vang het vocht op in een pannetje.
Kook dit sap samen met het water en de agar-agar 2-3 minuten. Roer dan de besjes erdoor en schenk in één of meer vorm(en). Laat afkoelen en verder opstijven.
Het gerechtje kan al na een klein uurtje worden gestort.

Leuk is om kopjes als vorm te gebruiken of een klein cakeblik en op de bodem eerst een dik gesneden plak kiwi te leggen. Schenk dan eerst wat van de siroop in deze vorm(pjes) voordat de besjes erdoor geroerd worden. Dan de besjes door de siroop en vervolgens dit mengsel over de kiwi.

Ook te garneren met diksaptoefjes ⚓, met daardoor wat van dezelfde smaak diksap als waarin de besjes gemarineerd zijn, en wat bessenstruik- of mintblaadjes.

Lekker om te nuttigen als toetje, maar ook heel apart om te serveren bij een kopje (kruiden)thee.

Yoghurtdilledressing -beleg ⤸

150 ml magere yoghurt
1 eetlepel gedroogde dilletoppen
citroen-, of limoensap
kruidenzout

Roer de dille door de yoghurt, maak eventueel op smaak af met citrussap en/of kruidenzout en serveer direct of bewaar de dressing in de koelkast.

Heerlijk over geraspte komkommer, radijsjes, tomaat alfalfa of andere kiemen en allerlei slasoorten, maar het is ook smakelijk om de yoghurt/dille een ½ uurtje te laten uitlekken in een zeef en dan als beleg op volkorenbrood te gebruiken.

Ook als dipsaus voor allerlei rauwkost of gekookte artisjok ⚓ is dit een heerlijke variant.

TIP: ⌣   Salade van avocado, olijven, witlof, beetgaar gekookte broccoli, noten en (geiten of schapen)feta.

Tahoe gemarineerd in soja-ui ⌄
2-3 Personen

Wachttijd 2-8 uur om te marineren.

300 gram sojakaas (tahoe/tofu)
1 grote ui
3 eetlepels tamari/shoyu
3 eetlepels witte wijn
1 teentje knoflook
(gomasio/sesamzaadstrooisel)

Laat de tahoe uitlekken op dubbelgevouwen keukenpapier.
Pel en snipper de ui boven een kom, voeg de sojasaus en de wijn erbij en pers er de knoflook bovenuit. Roer goed door elkaar.
Snijd de tahoe in plakken en vervolgens in blokjes, schep deze blokjes door de marinade en laat dit 2-8 uur marineren, schep af en toe om.

Doe de tahoe over in een vergiet, maar vang de marinade wel op. Verhit een scheut olijfolie in de koekenpan en bak hierin op hoog vuur de tahoe-ui in 5 minuten lichtbruin.
Voeg de marinade eraantoe en laat dit in 2-3 minuten warmen.

Het is lekker om te bestrooien met sesamzaadstrooisel en te serveren bij gekookte prei en sperzieboontjes of een "kwartet" van gekookte groente van het seizoen.

Appelrijst K
2-4 Personen

150 gram (ronde)zilvervliesrijst
magere melk* of sojamelk
1 jonagold of gelijksoortige appel
(50 gram ongezwavelde rozijnen fase II)
(50 gram geraspte kokos fase II))

Kook de rijst in de aangegeven tijd en hoeveelheid vocht gaar, samen met de geschilde en grof geraspte appel en de eventuele rozijntjes/kokos.

Dit is een heerlijk ontbijt, maar kan óók, warm of koud, als toetje worden gegeten en er is in een handomdraai een taartbodempje van gemaakt.

Kook, voor het taartbodempje, 5 gram agar-agar 2-3 minuten in 100 ml water of magere melk of sojamelk. Roer dit door de gare rijst en doe over op een plat bord.
Strijk met een spatel tot een mooie, gladde, ronde of rechthoekige vorm.
Laat in de koelkast verder opstijven en bedek deze "taart" naar wens met in aangelengd appel-, of perendiksap gekookte schijfjes appel of peer.

Er kan ook magere melkpoeder worden gebruikt van koe of schaap, zeef de poeder door een fijnmazige zeef bij het koude water en mix even goed met een garde of swizzle stick om klontjes te voorkomen. Voeg er dan pas de rijst aan toe.

TIP: K Geroosterd volkorenbrood in vierkanten gesneden en besmeerd met verschillende smaakjes kikkererwtenpuree ⚓, weer eens een heel ander hapje op de hapjestafel ⚓.

Rode besjes in sinaasappelgelei 𝙆

2-4 Personen

100 gram rode besjes
3 eetlepels (appel)diksap
250 ml (versgeperst gezeefd) sinaasappelsap
3 gram agar-agarpoeder of -vlokken

Marineer de besjes in het diksap en een scheut sinaasappelsap, de besjes moeten "onder" staan.

Kook het resterende deel van het sinaasappelsap samen met de agar-agar 2 minuten.

Roer de gemarineerde besjes erbij en doe, zodra het begint te geleren, over in de schaal(tjes) of vormpjes waarin dit gerechtje geserveerd wordt om later te kunnen storten.

Zet in de koelkast om verder op te stijven, deze gelei kan, omdat er geen zuivel in verwerkt is, 24 uur van tevoren worden gemaakt.

Chocolade- of carobsaus

(fase II)

100 gram chocolade- (>70% cacao) of carobtablet

Maak de chocolade/carob klein op een snijplank met een scherp mes.

Doe over in een laag schaaltje en schenk er zoveel kokend water over dat het onder staat. Laat 5 minuten staan, niet roeren!

Schenk het water eraf en roer nu tot een mooie gladde saus.

Gebruik de saus direct.

Lekker over warme of (ijs)koude zilvervliesrijst, romig gemaakt met een scheutje (soja)room of maak van tevoren de zilvervliesrijsttaartbodem ⚓.

De saus kan ook, in plaats van de gehakte chocolade/carob, over het rijstroomvlaaitje ⚓ worden geschonken of worden gebruikt als saus over de koffiecrème ⚓.

Heel bijzonder om over de appel, gevuld met notenpasta ⚓ te schenken.

Of giet de saus over -in water met appel- of perendiksap gekookte nog warme, of juist ijskoude-, peer of peren.

Komkommerbolletjes/-blokjes ∨

Ongeveer 20 bolletjes.

1 komkommer
50 ml walnotenolie
10-15 ml citroensap
4-5 grofgebroken walnoten

Schil de komkommer(s) en steek er met een boter- of meloenlepeltje balletjes uit. Of snijd in gelijke blokjes.
Meng vier delen olie op één deel citroensap en strooi de walnoten erbij. Schenk dit over de bolletjes/blokjes en laat nog even marineren.

Lekker aan een houten prikkertje als hapje tussendoor, maar ook origineel als bijgerechtje.

JAAR

Pistachenootjes-sojaroomsaus ∨

100 gram ongepelde gegrilde pistachenootjes
200-250 ml sojaroom, naar gelang de gewenste dikte van de saus

Er zijn ook gepelde pistaches te koop, maar die zijn wat zachter en dan krijgt de room helaas een meelderige smaak.
Pel de nootjes en wrijf er, in een schone theedoek, de losse velletjes en het zout vanaf.
Maal ze in de keukenmachine fijn en schenk er, terwijl de machine draait, de sojaroom bij.

Heel smakelijk bij courgettespaghetti ⚓ ∿ of ∨ en met beetgaar gekookte groenten zoals broccoli of sperzieboontjes.

In fase II is deze saus ook heerlijk bij soba, volkorenmacaroni of -spaghetti.

Aardbei-rode besjessorbet ⤣

2-4 Personen

Wachttijd 2 x 2 uur vriezen.

500 gram aardbeien
250 gram rode besjes
5 eetlepels (appel-)aardbei- of (appel)bosvruchtendiksap
2 eiwitten*, leg de eieren in de koelkast

Was de aardbeien in koud water en verwijder de kroontjes.
Was en rits de besjes en pureer ze, samen met de aardbeien en 2 eetlepels diksap, in de keukenmachine. Doe over in een schaal die de vriezer in kan en laat ongeveer 2 uur vriezen.
Sla na twee uur het eiwit stijf en schenk er 3 eetlepels diksap bij. Mix nog eens 3-5 minuten.
Haal de schaal met de bijna bevroren puree uit de vriezer, mix ook dit en schep er dan luchtig het eiwit door.
Doe over in een (cake)vorm en laat weer (2 uur of langer) vriezen.

Haal vlak voor het serveren uit de vriezer en snijd in plakjes of punten en garneer naar keuze met diksaptoefjes ⚓ of wat achtergehouden aardbei-besjespuree.

* Eidooiers zijn in de koelkast met een scheutje olie erop een aantal dagen te bewaren. Kijk voor eidooierreceptjes bij de ⌄ index.

TIP: ⌄ Beetgaar gekookte volkoren kamut met broccoli(roosjes), bestrooid met geraspte worteltjes en komkommersalade met yoghurtdillesaus ⚓.
De stengels van de broccoli inkerven, dan zijn ze net zo snel gaar als de roosjes.

Mangoverrassing, zoetzuur én een beetje pedis ↖

Reken op ongeveer één mango per persoon.

1 bijna rijpe mango
1 theelepel gemberpoeder
1 mespunt zout of 1 theel ume-su
1 eetlepel citroen-of limoensap
(1 eetlepel geraspte kokos fase II)
(mespunt cayenne- of chilipeper)

Schil de mango en snijd hem, boven een schaal, in kleine blokjes. Voeg de overige ingrediënten toe, roer goed door elkaar en serveer direct of laat een uurtje in de koelkast door en door koud worden.
Heerlijk als exotisch middagmaal op een warme zomerdag.

JAAR

Eigelei ⌄
2-6 Personen

Wachttijd 3-8 uur voor het uitlekken van de gelei.

4 eieren
300 ml water met peper/zout of groentebouillonpoeder, -blokje of -pasta
2 eetlepels gedroogde basilicum of andere kruiden naar wens

Warm de oven voor op 175°C.
Klop de eieren met het water schuimig en vet een ovenvaste schaal in met olie, bestrooi dit met de kruiden. Giet er voorzichtig het eimengsel in en zet de schaal in een grotere schaal die gevuld is met warm water.
Plaats beide in de oven en laat in ongeveer 40 minuten het ei stollen.
Stort de eigelei, zodra deze gestold is, in een met theedoek of keukenpapier beklede vergiet.

Laat de gelei tenminste drie uur, maar liever langer, uitlekken.

Snijd de gelei voor gebruik in plakken bij een maaltijd of serveer in blokjes aan houten prikkertjes.

Yoghurtpuddinkje, -taart of -cake ⤿

2-4 Personen

5 gram agar-agarpoeder of -vlokken
2-3 eetlepels tropical dreamdiksap (of een andere diksap, dan geen limoensap!)
het sap van 1 uitgeperste limoen
250 ml magere yoghurt

Breng, in een niet te kleine pan, 100 ml water aan de kook met de agar-agar, het diksap en het limoensap. Kook 2-3 minuten, haal van het vuur.
Doe de yoghurt in een pan en warm deze op heel laag vuur, en voortdurend roeren, tot ongeveer 40°C.
Schenk de yoghurt, al roerend, bij het inmiddels wat afgekoelde agar-agar mengsel en doe gelijk over in een vorm of vormpjes.
Plaats in de koelkast om verder op te stijven.

Maak een taart/cake door de pudding op een bodem te laten opstijven.
Neem hiervoor 200 gram gare (ronde) zilvervliesrijst of boekweit, warm of koud, gekookt in water, magere melk of sojamelk.
Breng 100 ml water aan de kook met 5 gram agar-agar en kook dit 2-3 minuten
Roer de rijst of boekweit door de agar-agar.

1e Smeer het agar-agargraan uit in een pie- of springvorm, of gebruik een losse taartrand.
Laat de bodem opstijven en stort de inmiddels stijfgeworden yoghurt op de bodem.
Wel voorzichtig serveren want de yoghurt "kleeft" nu niet aan de bodem.

2e Bekleed een cakevorm met ongebleekt bakpapier, laat dit ruim over de rand hangen zodat later de yoghurtcake eruit kan worden getild. Strijk de rijst/boekweit uit over het bakpapier, laat even opstijven en maak intussen de yoghurtpudding, schenk uit over de bodem en laat verder opstijven.

Stort op een bord of op de rijstbodem en serveer in plakjes, in punten of uit een vierkante vorm, in blokjes gesneden.

Paprikasaus of -soep ∿

1-4 Personen

200 ml saus of soep.

2 rode of 2 gele paprika's
100 ml water (100 ml rode of 100 ml witte wijn)
½ grote ui of 1 klein uitje
smaakmakers: peper, zout, of tabasco.

Maak de paprika's schoon en snijd ze klein. Pel en snipper de ui.
Houd een grote lepel paprika achter om te garneren en doe de rest, met de ui, in een pan met het water of de wijn.
Met het deksel op de pan 15 minuten zachtjes laten koken.
Boven een andere pan door een zeef wrijven en op smaak brengen.
Nog even goed doorwarmen met de gekozen smaakmaker(s) en serveren.

Garneer met de achtergehouden paprika en/of met verse of gedroogde groene kruiden.

↖ Heerlijk over volkorenpasta, soba en gestoofde courgette of zilvervlies-rijst vermengd met (verse)doperwtjes.

Er zijn verschillende mogelijkheden vóór en mèt deze saus, roer er op het laatst van het vuur af, een paar eetlepels (uitgelekte)yoghurt of kwark door; magere of volle - naar keuze. Ook een scheutje (soja)room is heerlijk "t is maar net wat er in huis is" én wat de begeleidende gerechten zijn.

˅ Er is zomaar een heerlijk soepje van te maken met (heel veel vers of gedroogd) tuinkruid zoals bieslook of peterselie. Maak ook dan eventueel op smaak af met yoghurt, kwark of (soja)room.

↖ Of eet deze soep met een dik gesneden volkorenboterham erin gedoopt.

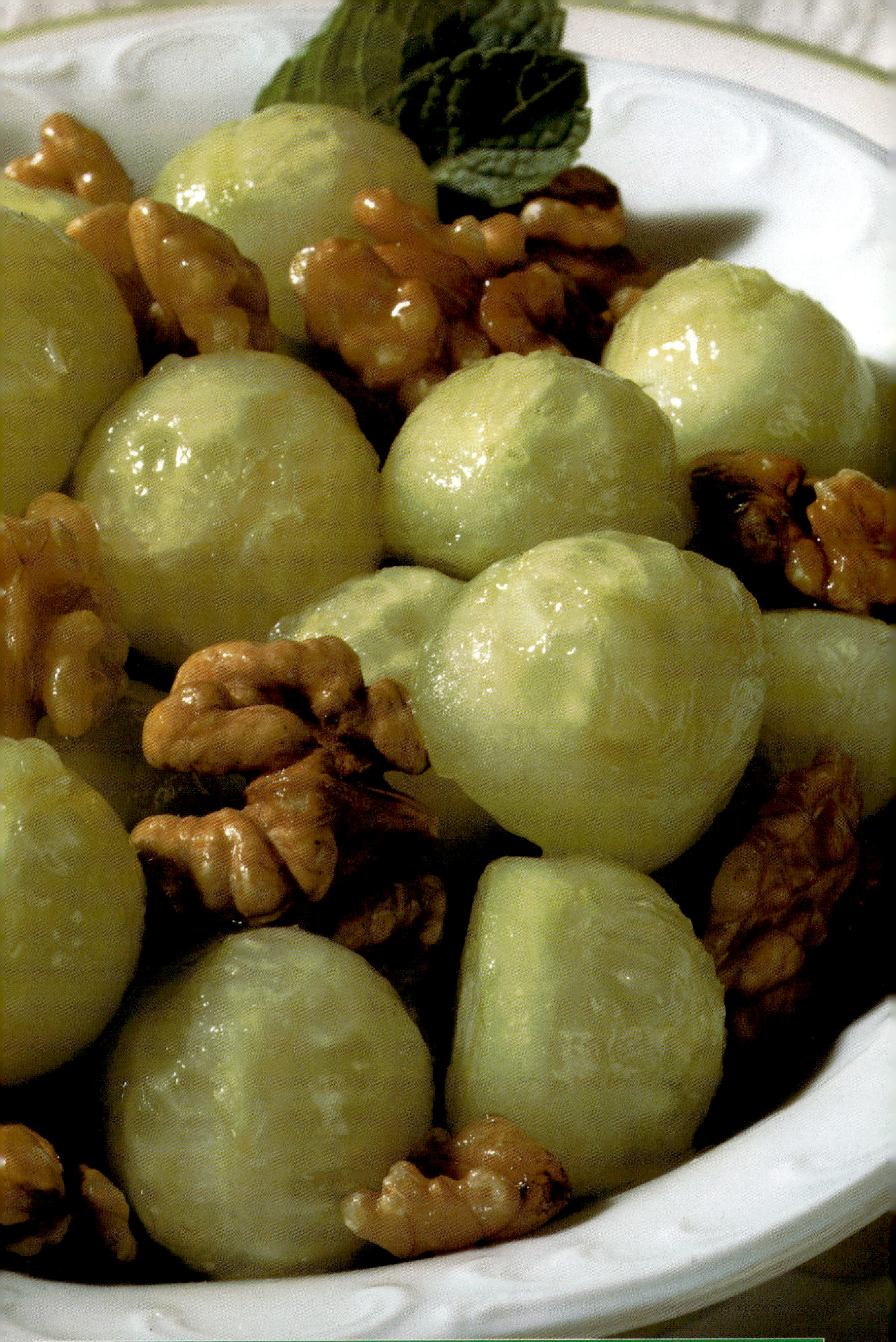

KOMKOMMERBOLLETJES/-BLOKJES - PAGINA 124

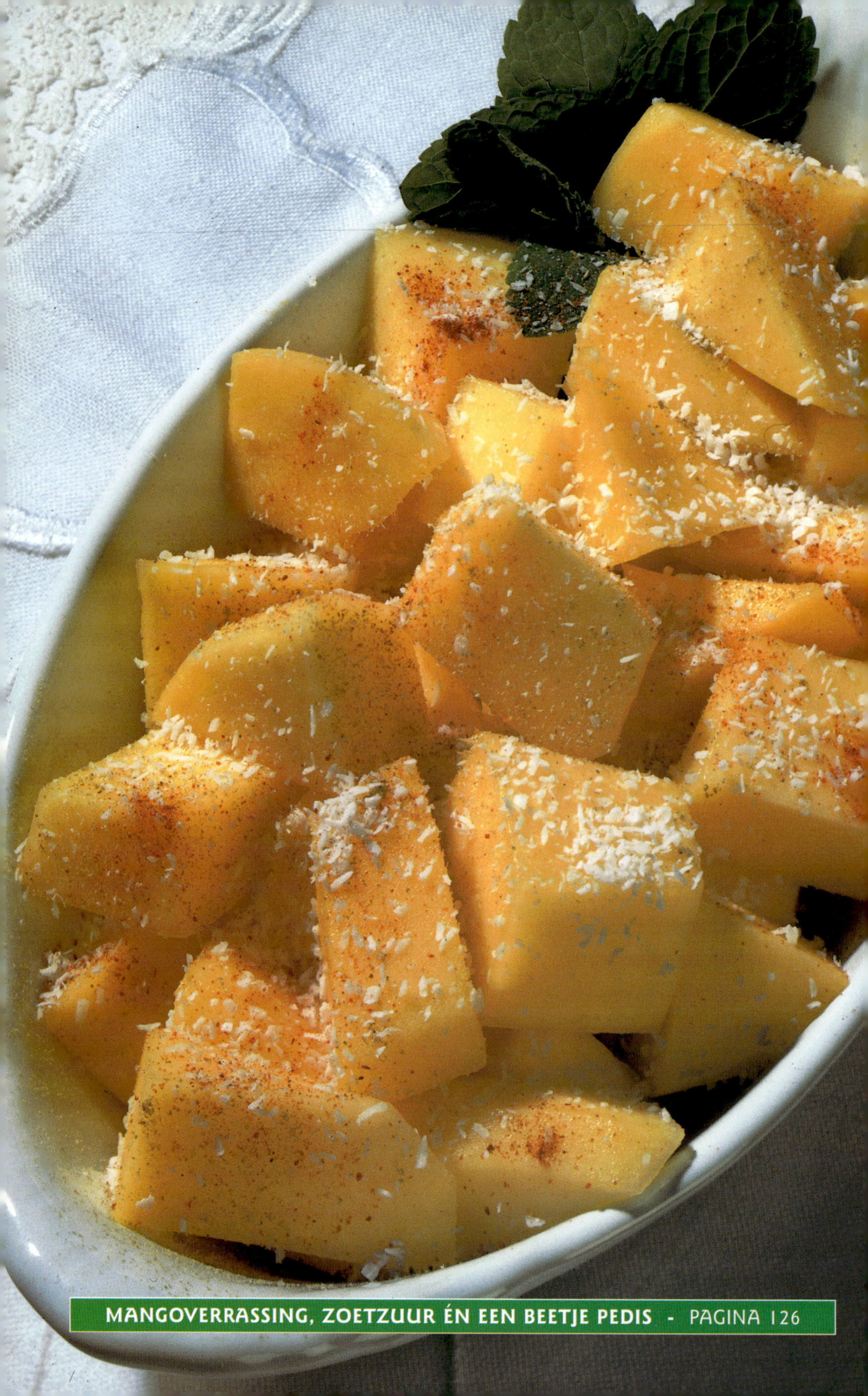

MANGOVERRASSING, ZOETZUUR ÉN EEN BEETJE PEDIS - PAGINA 126

Broccoli-notenmix ⌄

2-3 Personen

500 gram broccoli

olijfolie

1 bosje radijs

(1-2 teentjes knoflook)

(10-15 olijven zonder pit in vieren gesneden)

50-75 gram ongebrande gemengde noten

2-3 eetlepels sesam- of walnotenolie

1 eetlepel ume-su

Haal de roosjes van de broccolistengel en verdeel ze in kleine roosjes. Kook deze, in 3-5 minuten in weinig water, beetgaar.

Schil de broccolistengel, verwijder de blaadjes en snijd in ½ cm dikke plakjes. Verhit een scheutje olijfolie in een anti-aanbakhapjespan of -wok en bak hierin, onder voortdurend omscheppen, de broccolistengel aan.

Maak de radijsjes schoon, snijd ze in vieren of in plakjes bij de broccolistengel en pers de knoflook erbovenuit.

Laat dit alles, op een middelmatig vuur met een deksel op de pan, in 10-15 minuten garen.

Voeg er, in de laatste minuten de heel grof gehakte noten (en olijven) aan toe. Schenk, van het vuur af de olie en de ume-su erbij en schep de roosjes erdoor.

Heerlijk als complete lauwwarme maaltijdsalade op een zomerse dag naar wens nog aangevuld met (eikenblad)sla.

TIP: ∿ Thee, gezet van (heel veel) verse topjes munt of citroenmelisse uit de tuin, is zowel warm als (ijs)koud een heerlijke dorstlesser.

Linzenrijstpuree op eikenbladsla ⌐

1-4 Personen

150 gram gare ronde zilvervliesrijst
150 gram gare rode linzen
1 eetlepel citroen- of limoensap
1 theelepel koriander
½ theelepel kruidenzout
(1 teentje knoflook)
½ of klein kropje eikenbladsla

Pureer de rijst samen met de linzen, het citrussap en de koriander, maak het mengsel op smaak af met het zout/knoflook.
Warm op laag vuur.
Was de sla, droog in een slamandje of -centrifuge en leg op één of meer bordjes.
Schep de lauwwarme puree erop en serveer direct.

Goed vullend middagmaal, maar ook een bijzonder voorgerecht bij een maaltijd.

Wellicht origineel om te garneren met (zelf)gekiemde linzen.

TIP: ⌣ Bloemkool gepureerd met geraspte (geiten)kaas en beetgaar gekookte bleekselderij of gesmoorde champignons uit de römertopf ⚓.

Courgette-omelet ⌄
1-2 Personen

½ courgette of 1 kleine courgette
1 teentje knoflook
4 takjes verse basilicum, eventueel 2 eetlepels gedroogde basilicum
2-4 eieren
(soja)room)
(geiten)kaas)

De courgette wassen en in 1 cm dikke plakken snijden.

Een scheutje olijfolie verhitten, in een grote koekenpan* met anti-aanbaklaag, en hier de knoflook boven uitpersen.

1 Minuut zachtjes fruiten, de courgette eraan toevoegen en in 10 minuten, onder af en toe omscheppen mooi goudbruin laten worden.

Overdoen in een kom, de takjes basilicum erboven fijnknippen, omscheppen en op smaak brengen met zout en peper.

In een andere kom de eieren loskloppen en eventueel een eetlepel (soja)room toevoegen. De eieren in de koekenpan schenken, iets laten stollen en de courgette erop leggen.

Naar wens nog bestrooien of bedekken met (geiten)kaas en met een deksel op de pan de kaas laten smelten en het ei verder laten stollen.

Heerlijk met kortgekookte, heel fijn gesneden stukjes, paprika-tomatensla met noten- of zadenolie en veel verse, fijngeknipte peterselie.

---

* *Of neem twee koekenpannetjes, het is in ieder geval leuk als de plakken courgette er mooi inpassen want dan passen ze óók weer op de omelet.*

Groenten met kruidenschotel ⌄
1-2 Personen

1 prei of 4 lente-uitjes
1 komkommer of 1 courgette
1 theelepel gedroogde basilicum
1 theelepel gedroogde tijm
1 theelepel gedroogde oregano
30-50 gram pijnboompitten

Verhit een scheut olijfolie in de wok en roerbak hierin de in ringen gesneden prei of ui ongeveer 3 minuten.

Was de komkommer of courgette, snijd in stukken van 4 cm en daarna in repen.

Voeg toe aan de prei/ui en roerbak ook dit gedurende 3 minuten samen met de kruiden.

Schenk er wat water over en laat nog 2 minuten koken.

Rooster intussen de pijnboompitten in een droge koekenpan.

Maak de groenten op smaak met (kruiden)zout. Strooi de pitten erover en serveer direct.

Een heerlijk snel middagmaal, maar ook als bijgerechtje bij een warme maaltijd heel verrassend.

Eventueel kan er gelijk met de komkommer/courgette een handvol (wilde) spinazie mee geroerbakt worden.

Macaronischotelfantasie ☧
2-3 Personen

500 gram snijbonen

2 preien

(1 theelepel gemberpoeder)

300 gram volkorenmacaroni van tarwe of kamut

200 gram taugé

Ontdraad de snijbonen en snijd ze in 1 cm brede "ruiten".

Snijd de prei in ringen en was ze.

Doe beide groenten in een anti-aanbakpan die op een middelmatig hoog vuur staat en schep om en om, giet er ongeveer 100 ml water (of groentebouillon) bij en strooi er de gember over, breng aan de kook, zet het vuur laag en laat dit alles in 15-20 minuten garen.

Kook de macaroni, in een grote pan, in de aangegeven tijd gaar.

Schep als de groenten bijna gaar zijn de taugé erdoor.

Giet de macaroni af in een vergiet, doe terug in de pan en schep de groenten erdoorheen.

Serveer aan tafel met tamari/shoyu, Zwitserse strooikaas 1% vet, sambal, champignonsaus ⚓, tomatenpuree of -saus ⚓, en komkommersla of, in fase II, sojaroom.

Deze salade is de volgende dag als een koude schotel, besprenkeld met ume-su, ook een lekkere maaltijd.

Er is ook een heerlijke puree van te maken, stel dat er ongeveer 300 gram "overblijft", voeg hier dan gekookte 300-400 gram witte bonen aan toe en pureer dit in de keukenmachine. Breng de puree op smaak met peper en zout.

Op een warme zomerdag heerlijk om koud te eten met bijvoorbeeld lauwwarme zeekraal. Maar opgewarmd ook smakelijk bij beetgaar gekookte sperzieboontjes.

Verdund met groentebouillon ⚓ komt er een smakelijke soep uit voort.

Er kunnen zelfs, in fase II, minipannenkoekjes of 3 in de pan meegebakken worden. Het is mogelijk om dit zonder ei te doen, schep dan heel kleine hoop-jes in een anti-aanbakkoekenpan waarin een scheutje olijfolie is verhit, laat ze op een laag vuurtje, aan beide kanten, mooi bruin bakken.

Met ei gaat het wat makkelijker, 1 ei op 300 gram puree is voldoende, maak ook dan niet te grote koekjes en houd ze warm (of eet ze koud) op een bord dat op een pan met kokend water is geplaatst.

Wanneer de puree eerst op smaak is gebracht met bijvoorbeeld kerrie en uit-geperste knoflook is dit een heel apart hartig hapje.

Bleekselderijstengel, gevuld met yoghurt-radijsspruitencrème ∿

Wachttijd enkele uren voor het uitlekken van de yoghurt.

500 ml magere* yoghurt

1 struik bleekselderij
½ tot 1 bakje radijsspruiten
kruidenzout/peper
(paprikapoeder/peterselie/selderij/radijsjes)

Laat de yoghurt in een zeef lopen die bekleed is met een dubbel gevouwen keukenpapiertje en laat de yoghurt, gedurende enkele uren boven een schaal, in de koelkast uitlekken.

Pureer de uitgelekte yoghurt samen met de radijsspruiten met de keukenmachine/staafmixer, Maak op smaak met wat kruidenzout/peper.
Ontdraad de bleekselderijstengel en snijd de stengels in ongeveer 2 cm grote stukken.
Vul de holte met het yoghurtmengsel en bestrooi met een beetje paprikapoeder, heel fijngeknipte peterselie/selderij zeer fijngeraspte radijsjes of een klein plukje van wat achtergehouden radijsspruitjes.

◟ Als er crème overblijft is dit heel smakelijk op een volkorenboterham of - knäckebröd en zilvervliesrijstwafel.

∿ Of op een paar blaadjes van de een of andere sla, gegarneerd met enkele radijsjes en wat plakjes komkommer in de zomer als een compleet middagmaal of als voorgerechtje.

⌄ Samen met wat hardgekookte (kwartel)eitjes en naar keuze een paar blokjes (geiten)kaas, geschikt als middagmaal of serveer als voorgerecht bij een warme maaltijd.

* *Wanneer deze crème gebruikt wordt bij een vetmaaltijd kan er ook gekozen worden voor volle yoghurt.*

Auberginesoep ⌄
2-4 Personen

500 gram aubergines
2 eetlepels citroen- of limoensap
1 ui (gesnipperd) of 1 prei (in ringen)
1 teentje knoflook
groentebouillonblokje, -pasta of -poeder voldoende voor 1 liter water
1 theelepel gemberpoeder of een kleingesneden stukje verse gemberwortel
125 ml crème fraiche of sojaroom
50 gram zonnebloem- of pijnboompitten
(bieslook, vers of gedroogd)

De aubergine(s) dun schillen en het vruchtvlees, boven een kom, in blokjes snijden. Het citrussap en een snufje zout erdoor scheppen.

In een braadpan een scheut olijfolie verhitten en de ui/prei 3 minuten zachtjes fruiten, de knoflook erboven uitpersen.

De aubergineblokjes eraantoe voegen en met het deksel op de pan ongeveer 15 minuten, onder af en toe omscheppen, laten stoven op een zacht vuurtje. In een andere pan in de tussentijd 600 ml water met de bouillon aan de kook brengen.

De zonnebloem-/pijnboompitten in een droge koekenpan, onder voortdurend omscheppen lichtbruin roosteren.

In de keukenmachine of met de staafmixer de aubergine, samen met de gember en een scheut bouillon pureren. Deze puree bij de rest van de bouillon terugdoen, goed mengen en nog even door en door warmen.

De geroosterde pitten aan tafel bij de soep serveren, samen met de bieslook.

TIP: ⌄ Gekookte bloemkool met een sausje van, verwarmde (pas op voor schiften met sojaroom!) (soja)room+kerrie, eieren of gebakken plakken tahoe/tofu ⚓ en spaghetticourgette ⌄ of ∿ ⚓.

Avocado-bloemkoolfantasie ⌄

2-6 Personen

200 gram bloemkool
1 stengel bleekselderij
1 goed rijpe avocado
1 eetlepel limoen- of citroensap
(1-2 teentjes knoflook)

De in roosjes verdeelde bloemkool 15 minuten koken in weinig water.
De bleekselderijstengel in de lengte in drieën snijden en vervolgens in heel kleine blokjes, overdoen in een beker of kom.
De bloemkool via een zeef, die boven de beker met bleekselderij hangt afgieten, even laten staan en uit laten lekken.
De bloemkool overspoelen met koud water en ook uit laten lekken.
De avocado schillen of uitlepelen en het vruchtvlees, samen met de bloemkool het citrussap de knoflook en de olie, met de keukenmachine/staafmixer pureren.
De inmiddels uitgelekte bleekselderijstukjes erdoor scheppen en op smaak maken met peper/zout/tabasco*.

Het is lekker om schoongemaakte gehalveerde gele of rode paprika's te vullen met deze puree, eet deze dan "uit de hand" en bestrooid met fijngehakte gemengde nootjes gemarineerd in notenolie en fijngeknipte groene tuinkruiden.

Maar de puree kan, op een bedje van (veld)sla of spinazie, ook prima als dipsaus worden gebruikt en is in fase II ook heerlijk op volkorenbrood.

* *Bewaar de avocadopit in de puree tegen bruin kleuren.*

Witte en groene roosjesschotel ~

2-4 Personen

1 bloemkooltje

1 struik broccoli

2 uien in ringen gesneden

2 meiraapjes of 2 koolrabi's afhankelijk v/d tijd van het jaar,

geschild of geboend en in blokjes gesneden

(1-2 teentjes knoflook)

Snijd de bloemkool in kleine roosjes.

Verdeel de broccoli in kleine roosjes, schil de stronk en snijd in kleine blokjes.

Doe de bloemkoolroosjes, uiringen, broccoli- en meiraap- of koolrabiblokjes over in een vergiet, spoel af en schep in een grote anti-aanbakpan of -wok.

Laat al omscheppend warmen, samen met de uitgeperste knoflook, schenk er ongeveer 150 ml water bij en naar keuze wat groentebouillonpoeder (of gebruik -pasta of een stukje van een -blokje).

Roer goed en laat dit alles, op een laag pitje met het deksel op de pan, in ca 15 minuten garen.

Doe er dan de broccoliroosjes bij en laat deze in 5-7 min. beetgaar worden.

Lekker met linzen, volkorenpasta, quinoa, soba, sojabrokjes, witte of bruine bonen of zilvervliesrijst.

Of met in reepjes of blokjes gesneden tahoe/tofu, gebakken in een scheut olie.

Combineert, bij zowel een koolhydraat- als een vetmaaltijd, heerlijk met een wilde-spinaziesalade aangevuld met kleingesneden komkommer- en paprikablokjes, besprenkeld met wat citroen- of limoensap.

TIP: Beetgaar gekookte volkorenpasta vermengd met verschillende kleuren, in heel kleine blokjes gesneden, 7-10 minuten meegekookte paprika en 3 minuten meegekookte gekiemde peulvruchtenmix (sprouty).

Dadels gevuld
(fase II)

10 verse dadels
100 ml uitgelekte magere of volle yoghurt/-kwark, van geit, schaap of koe
1 theelepel appeldiksap of een andere smaak naar keuze

Snijd de dadels voor de helft open en verwijder de pitten, meng het diksap door de yoghurt/kwark en vul hiermee de dadels, bestrooi eventueel met een heel klein beetje paprikapoeder voor de kleur en serveer direct of bewaar in de koelkast.

De dadels worden speciaal door ze te vullen met amandelmarsepein anders ⚓.

De yoghurt/kwark kan ook worden vermengd met (1 eetlepel) gemalen Zwitserse strooikaas, proef voor de hoeveelheid en ga verder hetzelfde te werk als bij de met diksap gevulde dadels.

De zoete variant is heerlijk bij een kopje (groene of kruiden)thee en de hartige kan als een bijzonder hapje bij een glaasje wijn of als toetje worden geserveerd.

TIP: ✎ Volkorenbrood of zilvervliesrijstwafel eerst besmeerd met uitgelekte magere kwark of - yoghurt en daarna belegd met (zelfgekiemde) alfalfa-, radijs- of preischeuten en fijngeraspte worteltjes, eventueel ook nog bestrooid met (kruiden)zout.

Venkeltaartje ✓
2 Personen

1 mozzarellakaasje 125 gram
1 venkelknol
2 tomaten (of uit een blik)
1 eetlepel Italiaanse- of Provençaalse kruiden

Haal de mozzarella uit de verpakking en laat uitlekken in een zeef of op keuken-
papier
Verwarm de oven voor op 200°C.
Maak de venkel schoon, snijd van boven naar beneden in 4 plakken en kook
in weinig water ongeveer 10 minuten. Uit de pan nemen en uit laten lekken.
De tomaten in plakken snijden en de mozzarella in 4 plakken snijden, be-
strooien met de kruiden.
Een stuk aluminiumfolie aan de glimmende kant invetten met olijfolie.
Op twee venkelplakken een plak kaas, een plak tomaat, een plak kaas en een
plak venkel op elkaar leggen.
De venkel in de folie verpakken, aan de bovenkant iets open laten, en in 10-15
minuten in de oven door en door heet laten worden.
Eventueel de folie, aan het eind van de oventijd, openvouwen en onder de
grill de venkeltaartjes nog even laten kleuren.

Lekker met gebakken uien (uiensalsa ⚓) of paprikasaus ⚓ en knolselderijdobbelsteentjes ⚓ of -puree ⚓.

Lasagne met Zwitserse strooikaas ⌐

2-3 Personen

Wachttijd 6 uur of langer om de kwark te laten uitlekken!

125 gram groene volkorenlasagne
500 gram broccoli
150 gram bloemkoolroosjes
500 ml magere kwark
1 potje (60) gram gemalen Zwitserse strooikaas 1%vet
1 eetlepel boekweitmeel
peper, zout

Laat de kwark in een zeef, met daarin een dubbel velletje keukenpapier, in de koelkast gedurende lange tijd uitlekken boven een schaal.
Warm de oven voor op 200°C*.
Kook de lasagne in de aangegeven tijd, doe de vellen over in een vergiet spoel ze af met koud water en leg ze naast elkaar op een schone theedoek.
Was de broccoli, snijd lelijke stukken weg, kerf de stengels in en kook de broccoli, samen met de bloemkoolroosjes in een pan met weinig water, in 15 minuten gaar.
Giet af boven een vergiet maar vang het kookvocht op.
Vermeng de uitgelekte kwark (met een vork) met 50 gram strooikaas en het boekweitmeel, maak op smaak af met peper en nootmuskaat.
Pureer de roosjes samen met ⅔ deel van het kwarkmengsel.
Leg het eerste vel lasagne in een (cake)vorm en bestrijk dit met de groentekwarkmassa, leg het tweede vel hierop en bestrijk ook dit. Ga zo door tot het één na laatste lasagnevel en de groentekwarkmassa op is, eindig met een lasagnevel.
Vermeng het achtergehouden kwarkmengsel met 2-3 eetlepels van het kookvocht en verdeel dit over het bovenste lasagnevel.
Dek de vorm af met aluminiumfolie (glimmende kant binnen) en zet 20 minuten in de oven, haal dan de alufolie van de vorm en laat in nog eens 15-20 minuten gaar worden.
Serveer met een (zelfgemaakte) warme tomatensaus ⚓ met gekiemde peulvruchten, eventueel wat kruidenzout, beetgaar gekookte broccoli- en bloemkoolroosjes en geraspte komkommer.

---

* *Deze lasagneschotel kan ook 's morgens of 's middags worden voorbereid en pas later, tegen etenstijd, in de oven gezet en verwarmd.*

Radijssalade met alfalfa ⌐

2-4 Personen

100 ml (appel)azijn
2 eetlepels appeldiksap
1 theelepel gemberpoeder
(½ theelepel koenjit = ook kurkuma of geelwortel)
zout, peper
paar druppels tabasco

200 gram schone radijsjes
2-3 bos- of lenteuitjes
150 gram alfalfa- of preischeuten

De eerste 6 ingrediënten in een potje doen, deksel erop en goed schudden.
De radijsjes in heel dunne plakjes snijden of schaven, de uitjes in ringetjes snijden en beide mengen met het azijnsausje.
Op een bord de alfalfa- of preischeuten verdelen en hierop het radijsmengsel scheppen.

Een heerlijke salade met volkorenbrood of als onderdeel bij een hapjestafel ⚓.

TIP: ⌐ Rode kool ⚓ met kikkererwtenbroodpureekoekjes ⚓ en gekookte, of gepureerde knolselderij ⚓.

145

Kleurige omelet ⌄

2-3 Personen

1 rode, 1 groene en 1 gele paprika

4 eieren

(peper, zout, paprikapoeder/cayennepeper/chilipoeder)

Was de paprika's of schil ze met een (scherpe!) dunschiller, verwijder de zaad-lijsten en snijd ze in kleine blokjes.

Doe ze, samen met een scheutje olijfolie, in een grote anti-aanbakkoekenpan die op een niet te hoog vuur staat.

Roer de eieren los met (flink) peper, zout en paprikapoeder en schenk dit over de paprikablokjes. Laat op een laag pitje garen.

Deze kleurige omelet, eventueel gegarneerd met verse fijngeknipte tuinkrui-den, is gaar als het ei gestold is.

Lekker met broccolibrood ⚓ en beetgaar gekookte sperzie- of snijbonen.

Broccolibrood ⌄

3-6 Personen

400 gram broccoliroosjes, bewaar de stronk

2 eetlepels tamari/shoyu

200 gram tahoe/tofu, 1 ei

1-2 teentjes knoflook

(50 ml sojaroom)

Verwarm de oven op 150°C.

Kook de broccoli in 10 minuten, samen met de tamari/shoyu gaar.

Voeg er de laatste 5 minuten de in stukken gesneden tahoe bij.

Giet af en pureer met het ei en de knoflook en eventueel de sojaroom.

Doe over in een (cake)vorm en laat, in 40-50 minuten, in de oven een mooi goud kleurtje krijgen.

Laat, als de tijd om is, even uit de oven rusten alvorens aan te snijden. Het beste is om dit broccolibroodje direct vanuit de vorm te serveren.

Lekker bij, in de olijfolie gebakken in plakjes gesneden, broccolistronk en ui en beetgaar gekookte roosjes broccoli/bloemkool met gesmoorde grot-, mergel- of kastanjechampignons ⚓ met peper.

Venkelsalade ⌄

2-4 Personen

Wachttijd 2-3 uur voor het laten uitlekken van de zuivel.

1 venkel
¼ rettich of ongeveer 100 gram
1 gele paprika
150 gram (ijsberg)sla
2 tomaten
3 eetlepels citroen- of limoensap
8 eetlepels uitgelekte volle (geiten of schapen)yoghurt of -kwark

Venkel wassen en in dunne reepjes snijden, mooi groen achterhouden voor garnering.
De venkelreepjes overdoen in een vergiet en hier ongeveer 1 liter kokendheet water overschenken. Met koud water afspoelen en uit laten lekken.
Rettich schrappen, in reepjes snijden en in een grote kom doen.
Paprika halveren, zaadlijsten verwijderen, in reepjes snijden bij de rettich.
De gewassen sla in "plukjes" verdelen en de tomaten in vieren of in zessen snijden en in de kom mengen met de rettich en de paprika.
Een sausje maken van de uitgelekte zuivel en het citrussap. Op smaak brengen met (kruiden)zout en eventueel peper.
Het sausje er apart bij serveren en garneren met het venkelgroen.

Deze salade is lekker bij een maaltijd, maar ook om zomaar als middagmaal te gebruiken.

Rettich-radijs met olijven ⌄

2 Personen

100 gram rettich of ongeveer 10-15 cm
1 bosje radijs
(kruiden)zout
10 gemengde olijven zonder pit

De rettich schillen en grof raspen, de radijsjes schoonmaken en ook grof raspen. Door elkaar scheppen.
Een scheutje olijfolie verhitten in een koekenpan met anti-aanbaklaag en het rettich-radijsmengsel ongeveer 10 minuten, met het deksel op de pan, zachtjes stoven. Bestrooien met het zout en de olijven erdoor scheppen.

Lauwwarm smaakt dit gestoofde groenteschoteltje heerlijk bij eigerechtjes.

Sperzieboontjesmix

2 Personen

200 gram sperziebonen
150-200 gram (halve)bloemkool
1 grote ui
1 prei
200 gram courgette

Kook de schoongemaakte en gebroken boontjes samen met de in roosjes ver-
deelde bloemkool, in weinig water in 15 minuten, gaar.
Snijd de gepelde ui in ringen.
Snijd de prei in ringen en was, doe samen met de ui in een anti-aanbakwok of
-pan en smoor 15 minuten, met een deksel op de pan, op laag vuur.
Blijf af en toe omscheppen, schenk er eventueel een scheutje water bij.
Roer, in de laatste 5 minuten, de in blokjes of plakjes gesneden courgette bij
het ui-preimengsel.

Maak de mix, aan tafel, op smaak met tamari/shoyu of een pittige tomaten-
ketchup ⚓.

↙ Deze simpele groentemix is lekker bij volkorenmacaroni soba of -spaghetti,
maar ook met zilvervliesrijst, haver, gerst, quinoa of een witte+bruine bonenpot.

∨ Of eet de groenten bij een omelet, tahoe gemarineerd met soja-ui ⚓ of ui
gevuld met geiten- of schapenkaas ⚓.

Groentebouillon met courgettebolletjes ∿

2-4 Personen

200 gram courgette
500 ml (zelfgetrokken) groentebouillon ⚓ of van een blokje, pasta of poeder
6 takjes verse kervel of 1 eetlepel kervel uit een potje
of enkele takjes basilicum, niet te veel steel gebruiken
of peterselie, vers of gedroogd

Was de courgette en steek er met een meloen- of boterbolletjeslepel bolletjes uit, in blokjes snijden gaat natuurlijk ook!

Snijd het groen van de courgette wat overblijft als er bolletjes gemaakt worden in heel dunne reepjes.

Breng de bouillon met de courgette aan de kook en laat, in ongeveer 3 minuten, de groente gaar worden.

Roer de kervel uit het potje in de pan door de bouillon.

Strooi er vlak voor het serveren, of aan tafel, de gekozen tuinkruiden over.

Deze lichte bouillon is een goed begin (neutraal) bij een etentje.

Maar is ook snel bereid als middagmaal met volkorenbroodcroutons ⚓ of kook eerst een handje volkorenpasta gaar in de bouillon en voeg in de laatste 3 minuten de courgettebolletjes eraantoe.

Paprikaringen in de olie ⌵
2-4 Personen

3 paprika's kleur of kleurmix naar eigen voorkeur/smaak

2 middelgrote uien

300 gram (ontvelde) tomaten

2-3 eetlepels olijfolie, 1 eetlepel (appel)azijn

10-15 zwarte (gevulde) olijven

Druk de steeltjes van de paprika's in waardoor de zaadlijst vrijkomt en haal deze eruit. Snijd de naarbinnen gekrulde rand eraf en spoel de paprika's vanbinnen even uit om de laatste zaadjes te verwijderen.
Laat ze omgekeerd, in een vergiet of op keukenpapier, uitlekken.
Pel de uien en snijd in ringen. Verdeel de tomaten in vieren.
Verhit de olie in een grote koekenpan en fruit hierin de uiringen goudgeel.
Snijd de paprika's in ringen, doe deze samen met de tomaat bij de uien in de pan en laat even meefruiten.
Strooi er peper/zout over, schenk de azijn erbij en laat alles, met een deksel op de pan ongeveer 10 minuten smoren.
Voeg de olijven toe en laat, nu zonder deksel en op middelmatig vuur, de olijven meewarmen en het meeste vocht verdampen.

Heerlijk bij- of voorgerecht.

Selderij-ensemble ⌵
2 Personen

200 gram schoongeboende of geschilde en in blokjes gesneden knolselderij

200 gram schoongemaakte en in kleine stukjes gesneden bleekselderij

Verhit een scheut olijfolie in de koekenpan of wok en bak hierin eerst de knolselderij aan alle kanten mooi bruin op hoog vuur.
Voeg er dan de bleekselderij aan toe en laat alles, in 15-20 minuten onder af en toe omscheppen, gaar worden.
Bestrooi naar wens met selderij- of kruidenzout en serveer bijvoorbeeld bij knolselderijpuree ⚓ en koolrabi uit de oven ⚓ of de hierboven genoemde paprikaringen in de olie.

151

Bleekselderijsalade ⌄

1-2 Personen

2 stengels bleekselderij
5-8 grofgebroken wal-, of pecannoten
1 eetlepel walnotenolie
(kruiden)zout
50 gram (geiten of schapen)feta

De bleekselderij wassen, ontdraden en in heel smalle reepjes of kleine stukjes snijden, de noten met de olie mengen, over de bleekselderij schenken, naar keuze bestrooien met zout en mixen.
De feta verkruimelen boven de salade en serveren.

TIP: ⌄ Hardgekookte eieren gepureerd met kwarknaise ⚓ of mayonaise en tuinkruiden op wilde spinazie en gegarneerd met (zelfgekiemde) radijs- of preischeuten.

TIP: ⌐ In groentebouillon gekookte quinoa met beetgare sperziebonen+ bonenkruid en tomaat+sla met magere yoghurtcitroensaus.

Courgette (en tomaatjes) gevuld met quinoamengsel ⌐

4 Personen

1 rechte courgette
quinoamengsel ⚓

Snijd de courgette in vier (of meer) stukken en hol de stukken voorzichtig uit met een appelboor*, laat ongeveer een halve cm vanaf de schil staan.
Leg de stukken in een pan en giet er kokend water over, laat dit 2-3 minuten staan, haal de stukken er dan uit en laat de courgette op keukenpapier uitlekken en afkoelen.
Vul de courgette met het quinoamengsel, smeer 4 (of meer) stukken aluminiumfolie, glimmende kant binnen, in met een kwastje met olijfolie, rol op en draai de uiteinden dicht.
Leg weg of bereid direct.

Laat, in een voorverwarmde oven van 220°C, in 20-30 minuten door en door heet worden.
Of, leg de verpakte courgette, op het rooster van de barbecue ⚓.
Bestrooi naar smaak met Zwitserse strooikaas 1% vet.

Als er nog quinoamengsel over is en er zijn ook nog tomaatjes in huis, kunnen die ook worden gevuld.
Snijd hiertoe de tomaten doormidden, lepel zaadjes en zaadlijsten eruit en meng dit door het quinoamengsel.
Snijd een dun plakje van de onderkant van de tomaten zodat ze rechtop blijven staan en vul de tomaten met het quinoamengsel.

Bestrooi in, fase II, naar wens met (geiten)kaas en verwarm -tegelijk met de courgette- in de oven of op een stukje dubbelgevouwen aluminiumfolie op het rooster van de barbecue ⚓.

---

* *De stukjes uitgeholde courgette kunnen heel goed gebruikt worden in een salade, snijd de kokertjes dan in plakjes en blancheer ze 1 minuut in kokend water alvorens ze door de salade te mengen.*

Bonen-quinoamélange ⎰

2-4 Personen

200 gram sperziebonen
200 gram gare witte bonen of afgespoelde bonen uit een pot zonder suiker
200 gram quinoamengsel ⚓ (warm of koud)

Maak eerst het quinoamengsel.
Kook de sperziebonen in 10 minuten in weinig water beetgaar.
Laat de witte bonen uitlekken.
Schep de beide bonen door elkaar en meng het quinoamengsel erdoor.

Garneer met fijngeknipte bieslook en serveer als salade bij rauwkost, of met volkorenbrood.

Koffieroom ⎰

1 Persoon

50 ml sojaroom
1 eetlepel (cafeinevrije) poederkoffie of koffievervanger
50-70 ml kokend water

Warm de room in een pannetje tot ongeveer 60°C en schenk in een grote beker/mok.
Strooi de koffie erbij.
Klop met de swizzle stick of anders met een kleine garde tot schuimig.
Schenk het water, wat van de kook af moet zijn, langs de binnenkant van de kop bij het schuim, niet op het schuim dus want dan kan het makkelijk gaan schiften.
Drink direct.

Lekker als drankje tussendoor, maar ook bijzonder als toetje na een vetmaaltijd.

Aubergineplakken, met of zonder (geiten)kaas ⌄

2 Personen

1 aubergine
50 ml olijfolie
zout en peper
1-2 teentjes knoflook

De grill voorverwarmen op de hoogste stand.
De aubergine wassen en in de lengte in ongeveer 1 cm dikke plakken snijden.
In een schaaltje de olie schenken het zout en de peper erbij strooien en de knoflook erboven uitpersen. Goed mixen.
Een lage ovenschaal invetten met het gemaakte oliemengsel en de plakken aubergine erin leggen. De bovenkant ook insmeren met het oliemengsel.
5 Minuten onder de hete grill laten staan.
De schaal uit de grill nemen, de plakken omdraaien en weer de bovenkant met het oliemengsel insmeren. Ook deze keer 5 minuten onder de hete grill laten staan.
Naar wens in de laatste minuut onder de grill wat geraspte (geiten)kaas op de aubergine leggen en dit mee zacht laten worden.

Het is lekker om het oliemengsel aan te vullen met Provençaalse- of Italiaanse kruiden.

Serveer, in het midden, op 2 (voorverwarmde) borden met aan de ene kant knolselderijpuree ⚓ en aan de andere kant in zeer smalle reepjes en in weinig water in 10 minuten gestoofde witte kool, naar keuze bestrooid met kummel- of komijnzaadjes.

Paprikasalade met zure roomsaus ⌄

2-4 Personen

Eventueel wachttijd voor het uit laten lekken van de kwark/yoghurt.

3 paprika's (1 rood, 1 geel, 1 groen)
1 ui
100 ml zure room, of uitgelekte volle kwark of -yoghurt
(kruiden)zout
1 takje peterselie of 1 theelepel gedroogd
2 takjes basilicum of 1 theelepel gedroogd

Paprika's wassen, in vieren snijden, zaadlijsten verwijderen en in stukjes snijden.
De ui pellen, in ringen snijden en door de paprika's scheppen.
De zuivel loskloppen en de groene (fijngeknipte) kruiden en het zout erdoor roeren.

Het is lekker om het sausje apart bij de paprikasalade te serveren.

Tijm-uienmengsel ∿

2 Personen

Wachttijd 2 uur voor het uitlekken van de kwark.

200 gram ui
2 eetlepels tijm
2-5 eetlepels uitgelekte magere kwark

Schil de uien snijd ze in ringen en doe ze in een anti-aanbakkoekenpan, samen met een scheutje water, zet dit op een laag pitje en laat de uiringen wat glazig worden.
Bestrooi met de tijm en laat nog even warmen roer er, van het vuur af, de kwark door en breng op smaak met zout en peper.

↖ Dit is een heerlijk volkorenbroodbeleg, maar ook als bijgerechtje bij diverse groenten, auberginerijstpuree ⚓ of zilvervliesrijst of volkorenpasta een goede smaakmaker.

∨ Als het tijm-uienmengsel bij een vetgerecht gegeten wordt, kan er ook voor volle uitgelekte zuivel worden gekozen, heerlijk bij een hapjestafel ⚓, barbecue ⚓ of groentebouillonfondue ⚓.

Courgette gevuld met groenten ⌄

2 Personen

2 courgettes á 150 gram

1 rode of gele paprika

½-1 koolrabi of meiknol (houd de helft eventueel achter voor rauwkost)

150 gram tomaat

½-1 eetlepel Italiaanse- of Provençaalse kruiden of kerriepoeder

75-100 gram geraspte, oude of jonge (geiten)kaas

De courgette wassen en tot op 1 cm van de rand uithollen, een soort kano ervan maken! Dit uithollen gaat makkelijk met een boter- of meloenbolletje-slepeltje.

De courgettes in een wijde pan met ruim water 8-10 minuten koken.

Intussen de paprika wassen, halveren, de zaadlijsten verwijderen en in kleine stukjes snijden. De koolrabi wassen/schillen en in blokjes snijden.

De tomaat wassen en klein snijden.

In een koekenpan een scheut olijfolie verhitten en hierin de groenten, samen met het courgette-uitholsel en de gekozen kruiden of het kerriepoeder, 5 minuten zachtjes bakken.

De courgettes uit de pan nemen en met de opening naar boven op een groot bord leggen.

Van het vuur af de kaas door het groentemengsel roeren en de kaas/groenten in en om de courgettes verdelen.

Lekker met gesmoorde preiringen en rauwe geraspte koolrabi met walnoot-olie/wittewijnvinaigrette verhouding 3:1.

Koolrabi-courgettesalade ⌄

2-4 Personen

Wachttijd 30-60 minuten.

1 koolrabi
200 gram courgette
50-75 gram walnoten
3 eetlepels walnotenolie
1 eetlepels citroen - of limoensap
3 eetlepels (soja)room

Was of schil de koolrabi en rasp grof, was de courgette en rasp grof.
Schep koolrabi en courgette door elkaar.
Hak de noten grof of breek ze en doe samen met de olie en het citrussap in een kom.
Schep de groenten erbij, maak op smaak af met zout en laat de salade 30-60 minuten marineren.
Schenk er naar keuze de room over.

Courgettebolletjes/blokjes ⌄

20 bolletjes

1-2 courgette(s)
50 ml olijfolie
10-15 ml (appel)azijn
peper, zout, basilicum vers of gedroogd

Was de courgette(s) en steek er met een boter- of meloenlepeltje bolletjes uit. Of snijd in gelijke blokjes.
Meng de olie met de (appel)azijn en strooi de rest van de ingrediënten erbij. Schenk dit over de bolletjes/blokjes en laat nog even staan, alvorens te eten. Lekker aan een houten prikkertje als hapje tussendoor, maar ook origineel als bijgerechtje.

ZOMER/HERFST

Bleekselderij gemarineerd in walnotenolie ⌄
2-4 Personen

Wachttijd 1 uur voor het marineren.

6 stengels bleekselderij
60-100 ml walnotenolie
enkele eetlepels grof gebroken walnoten

Maak de bleekselderijstengels schoon, verwijder de draden, was en leg te drogen op keukenpapier.
Halveer de stengels in de lengte en snijd in 3 cm lange stukjes, doe in een schaaltje en schenk de olie erover. Laat dit, onder af en toe omscheppen, minstens 1 uur marineren.
Doe over in een vergiet, maar vang de olie* wel op en breng de bleekselderij in een pan met weinig water aan de kook.
Laat in 5-7 minuten beetgaar koken en serveer met de walnoten erover gestrooid.

Breng 100- 150 ml droge witte wijn aan de kook en laat weer afkoelen, meng de olie erdoor maak op smaak met kruiden- of uienzout en gebruik deze vinaigrette bij rauwkost van geraspte koolrabi/knolselderij.

Snijbonen en spaghetti in rode saus ↖

2 Personen

200 gram snijbonen

5 (ontvelde) tomaten

1 theelepel, of meer! sambal

1-2 teentjes knoflook uit de pers

2-3 eetlepels tamari of shoyu

volkorenspaghetti

2-3 eetlepels (zelfgemalen) boekweitvlokken of -meel

Snijd de schoongemaakte snijbonen in ruiten, was en doe ze met aanhangend waswater in een anti-aanbakwok of -hapjespan, die op middelhoog vuur staat.

Snijd de prei in ringen, en schep ze bij de bonen. Schep op hoog vuur om en om zodat het water verdampt maar de groenten niet verbranden.

Zet het vuur laag, snijd de tomaten in stukken en doe bij de groenten samen met de sambal en de sojasaus.

Pers de knoflook erbovenuit, voeg 100-150 ml water toe en laat, met het deksel op de pan 10 minuten pruttelen.

Kook in deze tijd de spaghetti bijtgaar.

Strooi de boekweit over de groenten, roer goed en laat binden.

Schep de warme spaghetti door de groenten en serveer direct.

Lekker met komkommersla+bonenkruid.

Rettich + komkommer met macaroni ↼

2 Personen

200 gram volkorenmacaroni van tarwe of kamut of met quinoa

300 gram rettich
300 gram komkommer (bij voorkeur kleine komkommertjes of verwijder de zaadlijst)

Kook de macaroni in de aangegeven tijd, met een groentebouillonblokje -pasta of -poeder, gaar.

De rettich dun schillen en grof raspen. De komkommer wassen en grof raspen.
In een grote anti-aanbakpan of -wok de rettich en de komkommer samen, onder voortdurend omscheppen, laten garen.
De macaroni in een schaal doen en de groenten erover of erdoor scheppen.

Lekker met gestoofde kool en overgoten met tomatensaus ↼⚓ of paprikasaus ∿⚓ en/of bestrooien met gemalen Zwitserse strooikaas 1% vet.

In fase II met pistachenootjes-sojaroomsaus ⚓ of geraspte (geiten)kaas.

Courgette-bleekselderijschotel ⌄

2 Personen

3 stengels bleekselderij
1 prei
½ courgette
1 eetlepel kerriepoeder
3-6 eetlepels sojaroom

De bleekselderij wassen, ontdraden, in de lengte in vieren (of dunne stengels halveren) snijden en in heel smalle stukjes snijden.

Van de prei de worteltjes en het groen verwijderen, in smalle ringen snijden en wassen.

De courgette wassen, in de lengte halveren en in dunne plakjes snijden.

Verhit een scheutje olijfolie in de anti-aanbakpan en bak hier, al omscheppend de bleekselderij in aan, voeg er de prei bij en als laatste de courgetteplakjes. Strooi hier de kerrie over en laat, met het deksel op de pan, op een middelmatig vuur een kwartiertje pruttelen.

Schep af en toe om en roer er, van het vuur af of vlak voor het serveren, de sojaroom bij.

Lekker bij gekookte, gepureerde of gebakken knolselderij ⚓.

Tomaten gemarineerd ∨
2-4 Personen

6 (tros)tomaten
1-2 teentjes knoflook
basilicum vers, 12 blaadjes, of gedroogd 1 eetlepel
3 eetlepels olijfolie
1 eetlepel (balsamico- of appel)azijn

Verwarm de oven voor op 200°C.

Halveer de tomaten en leg de helften met de snijkant naar boven in de schaal.

Besprenkel de tomaten met olie, pers de knoflook erbovenuit en leg op elke helft een blaadje basilicum of strooi er de gedroogde basilicum over.

Keer de tomaathelften en laat ze, in het midden van de oven, ongeveer 20-25 minuten bakken.

Laat afkoelen.

Maak een vinaigrette van de azijn+olie en maak op smaak met (kruiden)zout.

Serveer de vinaigrette apart bij de tomaten.

Heerlijk bij tal van gerechten, maar ook heel toepasselijk als onderdeel van een hapjestafel ⚓.

Tomaten in rode wijn soep ～

2 Personen

1 blik tomaten of in de zomer 3 verse tomaten (of kies voor soeptomaatjes)

1 ui

1 tomatenbouillontablet

50 ml rode wijn (eventueel restje)

Snijd de harde stukken uit de tomaten uit blik, of was de verse en snijd ze in stukjes, verwijder ook dan de harde steelaanzet.

Pel de ui en snijd in ringen, doe de ui samen met de tomaat, 400 ml water, de bouillontablet en de wijn in een pan.

Breng, met het deksel op de pan, aan de kook en laat ongeveer een kwartiertje zachtjes koken.

Zeef boven een andere pan of boven de (voorverwarmde) soepterrine waarin de soep geserveerd wordt.

Breng op smaak met zout en peper, kruidenzout of tabasco/cayennepeper/chilipeper en garneer met verse of gedroogde tuinkruiden.

Lekker als voorgerecht.

↖ Maar ook snel als maaltijdsoep te bereiden door in dezelfde tijd volkorenpasta en groenten beetgaar te koken en door de soep te mengen.

Ananassnoepjes ⟨

Wachttijd 1 uur of langer voor het opstijven.

1 rijpe ananas (of ongeveer 500 ml sap)
100-150 ml (zelfgeperst & gezeefd) sinaasappelsap
5 gram agar-agarpoeder

Zet een vorm, bekleed met ongebleekt bakpapier, klaar. Een plat, niet te groot dienblaadje, kan ook goed functioneren. Meet eerst even met 600 ml water hoe dik de snoepjes worden, voor het uitsteken met allerlei leuke uitsteek-vormpjes is het beter als de "ananasplak" niet dikker dan ½ cm wordt. Het ananassap kan later ook in reepjes of vierkantjes gesneden worden.

Werk met een ananasslicer of;
Schil de ananas, snijd het vruchtvlees boven de maatbeker, om geen sap ver-loren te laten gaan, in stukken rondom de harde kern weg.
Pureer de stukken in de keukenmachine of met de staafmixer.
Breng het sinaasappelsap, met de agar-agar in een niet te kleine pan aan de kook en laat 2-3 minuten koken.
Schenk, onder goed roeren, het ananassap bij het sinaasappelsap in de pan en schenk direct over in de vorm(en).
Laat afkoelen en zet dan in de koelkast om verder op te stijven.

Binnen een uur kunnen er snoepjes worden uitgestoken of reepjes worden gesneden. Dit kan echter ook na langere tijd of de volgende dag pas worden gedaan.

De uitgestoken figuurtjes zijn ook heel decoratief om te gebruiken als garnering.

Als er voldoende sap is maak dan ook gelijk eventjes het sneeuwijs ⚓.

Geitenkwarknaise* ⌄

Wachttijd 1-2 uur voor het uitlekken van de kwark, deze keer op kamertemperatuur!

100 ml saffloerolie of een andere neutrale olie
150 ml uitgelekte geitenkwark = ongeveer 200 ml niet uitgelekte kwark
15-25 ml (appel)azijn

Zorg ervoor dat de olie, kwark en azijn op kamertemperatuur zijn.
Doe alle ingrediënten in de beker van de staafmixer, mix tot een mooie, op mayonaise gelijkende substantie. Op smaak brengen met (kruiden)zout.

Heerlijk bij sla, koolsalade ⚓, gebakken knolselderijdobbelstenen ⚓ en andere gerechten waar mayonaise ook lekker bij is.

---

* *In plaats van volle geitenkwark kan ook worden gekozen voor volle uitgelekte kwark van koemelk.*
De houdbaarheidsdatum van de kwark in acht genomen blijft de kwarknaise, in een goed af te sluiten potje, een week goed in de koelkast.

Olijven in eiroom ⌄

2-4 Personen

2 eieren
100 ml (soja)room
20 gemengde olijven met/zonder pit*

Warm de oven voor op 120°C.
Bestrijk een laag vuurvast schaaltje (dekseltje van pyrexschaaltje) Ø 15-20 cm met olie.
Klop de eieren los met de room en schenk dit mengsel in het schaaltje.
Verwijder eventueel de pitten uit de olijven, halveer de olijven en verdeel ze over het ei-roommengsel.
Laat, in ongeveer 40-50 minuten, in de oven het ei stollen.

Dit gerechtje is, zowel warm als koud, heerlijk bij rauwkostsalade.

Maar ook in puntjes gesneden als aanvulling bij een barbecue ⚓, groentebouillonfondue ⚓ of hapjestafel ⚓.

Reken per persoon op één ei en vermeerder de andere ingrediënten met de helft en zorg voor een grotere schaal.

* *De olijven kunnen ook vervangen worden door mooie kleine kerstomaatjes, gebruik dan wel wat peper, zout, tamari/shoyu of andere pittige smaakmaker(s) bij het loskloppen van de eieren met de room.*
Het is decoratief om er wat fijngeknipte tuinkruiden zoals bieslook, peterselie en dergelijke over te strooien.

Aubergine-rijstpuree
2-4 Personen

1 aubergine of ongeveer 250 gram
100 gram gare zilvervliesrijst
1-2 eetlepels Italiaanse- of Provençaalse kruiden
peper/kruidenzout

Leg de aubergine onder de hete grill en laat in 20 minuten onder af en toe keren blazen op de schil ontstaan.
Laat de aubergine wat afkoelen, snijd doormidden en schep het vruchtvlees eruit.
Pureer het vruchtvlees met de rest van de ingrediënten en gebruik lauw tot koud als volkorenbroodbeleg of warm als onderdeel bij een maaltijd.

J A A R

Kwark- of yoghurttaart
4-6 personen

Wachttijd 1-2 uur voor het opstijven.

400 ml magere kwark of -yoghurt
3-5 eetlepels diksap naar smaak of jam
100 ml magere melk of, in fase II room
5 gram agar-agarpoeder of -vlokken

Kook het diksap/de jam met 100 ml melk/room en de agar-agar 2-3 minuten.
Laat dit onder af en toe omroeren wat afkoelen.
Doe de kwark/yoghurt in een pan met dikke bodem en verwarm, onder voortdurend roeren, tot ongeveer 35°-40°C.
Roer de kwark/yoghurt bij de agar-agar, werk nu snel! en giet over in één vorm of meer kleine vormpjes.
Laat afkoelen en in de koelkast verder opstijven.

Stort en snijd in blokjes of punten, afhankelijk van de vorm waarin de zuivel is opgestijfd en serveer als toetje of bij een kopje (groene of kruiden)thee.

Anijsrijst ^K

1-2 Personen

1 eetlepel anijszaadjes
300 ml magere- of sojamelk
100 gram (ronde) zilvervliesrijst

Doe de anijszaadjes in een thee-ei of linnen zakje. Leg dit in de pan met de melk, breng aan de kook en laat, op een laag vuur ongeveer een half uurtje trekken.
Voeg er dan de rijst aan toe en kook deze in de aangegeven tijd, onder af en toe roeren, gaar.
Haal het anijszaad eruit en serveer de rijst gloeiend heet op een koude dag of ijskoud op een warme dag.

In fase II eventueel nog aangevuld met geschaafde of grof gehakte amandelen.

Voor de liefhebber van anijs heerlijk als een heel bijzonder ontbijt. Laat de rijst 's nachts gaar worden in de hooikist of ingepakt in een dikke jas.

Sambal ⌣

ongeveer 150-200 gram

100 gram rode Spaanse pepertjes
10 amandelen zonder vlies of 5 kemirenoten
1-2 teentjes knoflook
1 ui
1 theelepeltje laos
6 eetlepels (appel)azijn of tamarindevocht
6 eetlepels shoyu of tamari

Was de pepertjes, verwijder de steeltjes en rol de peper tussen de handen met de opening naar beneden heen en weer. De zaadjes laten los en vallen eruit. Was goed de handen met zeep, de pepertjes geven een bijtende stof af!
Hak ze, samen met de amandelen/kemirenoten, knoflook en ui fijn in de keukenmachine.
Verhit een scheut olijfolie in de koekenpan, voeg het gehakte mengsel en de laos toe en laat 5 minuten zachtjes bakken.
Schenk de rest van de ingrediënten erbij, breng aan de kook en laat onder goed roeren inkoken tot het meeste vocht verdampt is.
Laat de sambal afkoelen en doe in een goed af te sluiten potje waar het in de koelkast wekenlang kan worden bewaard.

Deze sambal kan, in fase II, wat zoeter (manis) worden gemaakt door er, in plaats van 6 eetlepels azijn, 3 eetlepels azijn en 3-4 eetlepels appeldiksap bij te mengen.

Sojablokjes ⌄

2-4 Personen

Wachttijd 1-8 uur voor het marineren.

250 gram tahoe/tofu
1 paplepel sambal ⚓
1 teen knoflook

Snijd de tahoe in ½ cm dikke plakjes en laat op keukenpapier het vocht eruit trekken.

Vermeng de knoflook uit de pers door de sambal en smeer de plakken tahoe-op één na- aan één kant in met dit smeerseltje. Leg de plakken weer op elkaar en pak het in folie, gedurende 1-8 uur laten marineren.

Verwijder de folie, laat de plakken op elkaar liggen en snijd in kleine vier-kante blokjes.

Verhit in een koekenpan met dikke bodem, of met anti-aanbaklaag een scheut olijfolie en laat hierin, op hoog vuur en onder voortdurend omscheppen, de blokjes mooi bruin en knapperig bakken.

Laat afkoelen in een zeef of op een keukenpapiertje en strooi over (veld)sla of eet de sojablokjes met taugé en komkommer-uimengsel ⚓.

Avocado-preicombinatie ˅

2 Personen

1 niet te grote prei
1 eetlepel shoarma kruiden
1 rijpe avocado
citroen- of limoensap/(zout)

Verwijder het lelijke groen van de prei, snijd in smalle ringen en was het zand eruit.

Verhit een scheutje olijfolie in een koekenpan en bak hierin, op niet te hoog vuur, de prei samen met de kruiden in 10-15 minuten zacht.

Halveer de avocado en schep een beetje vruchtvlees* eruit, zodat een holte ontstaat, besprenkel/bestrooi de holte met het citrussap/zout tegen bruin kleuren. Laat de prei een beetje afkoelen en schep in de avocadohelften.

Heerlijk als compleet middagmaal of als voorgerecht bij een etentje.

---

* Prak de uitgeschepte avocado desgewenst fijn, met kwarknaise ⚓/mayonaise/tofunaise, uitgelekte (volle) kwark of sojaroom en een scheutje citrussap (hoeveelheid naar smaak), en serveer dit (in toefjes) bij de avocadohelften.

Bonensaus -soep ^K

4-6 Personen

1 ui

1 prei

100 gram knolselderij

1 teentje knoflook

2 stengels bleekselderij

1½ liter groentebouillon van een blokje pasta of poeder

150 gram quinoa

400 gram gekookte witte bonen (of uit een pot zonder suiker en afspoelen)

(100 gram diepvriesdoperwten)

1 blik gepelde tomaten

1 eetlepel basilicum of Italiaanse/Provençaalse kruiden

De ui pellen, in ringen snijden en in een grote pan met dikke bodem, op laag vuur glazig laten worden.

De prei in ringen snijden, wassen en bij de ui in de pan doen, samen met de in blokjes of reepjes gesneden knolselderij, de knoflook uit de pers en de in kleine stukjes verdeelde bleekselderij. Goed omscheppen zodat het niet aanbrandt.

Na 10 minuten de bouillon in de pan schenken en ongeveer een kwartier, samen met de quinoa, zachtjes laten koken.

Na 8 minuten eventueel de erwtjes erbij.

De witte bonen bij de bouillon mengen en goed meewarmen.

Met de keukenmachine/staafmixer de tomaten pureren, samen met de kruiden, bij de soep roeren en meewarmen.

Heerlijk als maaltijdsoep eventueel ook nog aangevuld met volkorenbrood, of als stevige saus bij volkorenpasta of gekookte granen, gebruik voor saus minder bouillon.

Stoofpeertjes ⌒

3 kg stoofpeertjes = ongeveer 1,5 kg gestoofde peertjes
180 ml perendiksap* of 60 ml** - per kg peren
stukje pijpkaneel, of gebruik kaneelpoeder

Schil de peren, snijd ze in vieren en verwijder de klokhuizen, eventueel kunnen kleine peertjes ook heel worden gelaten laat de steeltjes dan staan.
Zet ze op met zoveel water dat ze net onder staan, roer er het diksap en de kaneel door. Het pijpkaneel kan in stukjes worden gebroken en in een thee-ei of in een linnen zakje in het vocht worden gelegd.
Breng het geheel aan de kook en zet dan het vuur weer laag, laat in 2-4 uur de peertjes tot een mooie, roserode kleur koken.

Eventueel, als er een wat gebonden saus gewenst wordt, de peren overdoen in een zeef of vergiet, die boven een pan hangt en het sap weer aan de kook brengen en binden met boekweitmeel, of probeer het eens op de volgende manier.

400 Gram gestoofde peren en 200 ml stoofpeer-kookvocht met de keukenmachine/staafmixer pureren en door de gekookte peertjes roeren, zo ontstaat er een gebonden saus zonder dat er gebruik hoeft te worden gemaakt van bindmiddelen.

Heerlijk over volkorengriesmeel-pudding ⚓ of gekookte amaranth.

Tijdens het koken van dit, weliswaar aangepaste, "Oma Gerrie gerechtje" kwamen er enkele mogelijkheden -in mijn gedachten!- boven drijven, die uitgewerkt staan op pag. 178.

* *Het komt een enkele keer voor dat er, na een "slecht perenjaar", geen perendiksap in de winkels te koop is. Toevallig overkwam mij dit toen ik druk bezig was met recepten uitproberen, omdat de buurman maar peertjes bleef bezorgen. Probeer het dan met appel-perendiksap of bosvruchtendiksap, deze laatste geeft daarbij een prachtige kleur aan de peertjes en kan derhalve ook op het laatst bij de peertjes worden geschonken, nog heel even laten koken*

** *Wees niet te scheutig met de hoeveelheid diksap. Proef en voeg indien nodig, als de kooktijd bijna om is, nog wat extra diksap toe.*

Vervolg Stoofpeertjes, pag. 177.

Er was erg veel sap, daar moet iets mee te doen zijn. De zilvervliesrijst in dit sap gekookt, 's nachts in de hooikist, was de volgende ochtend een verrukkelijk ontbijt, aangevuld met een "dekseltje" van magere kwark met daarover een scheutje peren- of bosvruchtendiksap.

Nog meer sap; hierin een handje boekweitgrutten gekookt. Na het koken overdoen in kleine schaaltjes, goed aandrukken en even laten afkoelen. Kan als een timbaaltje op de borden worden gestort. Lekker als bijgerechtje bij een maaltijd, maar ook een heerlijk toetje of de volgende ochtend als ontbijt.

Dit bleek ook heel lekker te zijn, de buurkinderen waren heel enthousiast
In 100 ml stoofpeersap 5 gram agar-agarpoeder 2-3 minuten koken en door 200 gram in stoofpeervocht gaargekookte boekweit roeren. Overdoen in een (cake)vorm en in de koelkast laten opstijven om 1-24 uur later te kunnen storten en te serveren in plakjes of blokjes. Het zachte van de peertjes heeft een lekker effect met de nog wat knapperige boekweitgrutten, bleek best heel lekker te zijn bij een kopje (kruiden)thee.

Een paar (grote) glazen potten met twist-off deksels, of weckpotten wassen met kokendheet sodawater, goed omspoelen en vullen met de stoofpeertjes. De deksels bekleden met een leuk stofje en vastzetten met een bijpassend lintje of dikke wol. Leuk om cadeau te geven.

Mozzarella + spinaziesalade ⌄

2-4 Personen

2 bolletjes mozzarella
200 gram wilde spinazie
1 uitje/sjalotje
2 eetlepels kervel
1-2 teentjes knoflook
2 eetlepels (appel)azijn
3 eetlepels noten- of zadenolie

Snijd de mozzarella in dobbelsteentjes.

Was de spinazie, verwijder lelijke blaadjes en de harde stengel en laat de groente goed uitlekken of gebruik een slamandje of -centrifuge.

Pel en snipper de ui, meng met de kervel en vervolgens met de mozzarella en de spinazie.

Maak een sausje van de azijn en de olie, pers er de knoflook bovenuit, maak op smaak met (kruiden)zout/peper en giet kort voor het serveren de saus over de salade.

Lekker als complete maaltijd, maar ook als verrassend voor- of bijgerechtje.

Preischeuten + geitenkaasdobbelstenen ˅

ongeveer 24 'dobbelstenen'

Wachttijd 2 uur of langer voor het laten uitlekken van de kwark.

100 gram uitgelekte geitenkwark
100 gram (jong)belegen geitenkaas of 10 plakjes
10-15 gram preischeuten

Geitenkaas is kleiner dan kaas gemaakt van koemelk, maak daarom 2x5 plakjes op elkaar, schaaf ze zelf met de kaasschaaf of vraag de aan de kaasboer. Besmeer een plakje kaas met de geitenkwark, leg er een deel preischeuten op, weer een plakje kaas, weer geitenkwark, weer preischeuten tot vier plakjes op elkaar liggen (of 9 plakjes), besmeer het laatste plakje met kwark en leg dit met de besmeerde kant op de preischeuten, druk een beetje aan.
Zet op een koele plaats weg tot gebruik, snijd voor het serveren de eventuele rafelige randjes weg en verdeel in blokjes.

Steek in elk blokje een prikkertje en serveer.

Shoarmarijst ᴷ

4-8 Personen

Wachttijd 1 uur of langer.

150 gram zilvervliesrijst

groentebouillonblokje, -pasta of -poeder voldoende voor 500 ml water

500 gram (shii-take paddestoelen)

1 kleine of ½ grote fijngesnipperde ui (ongeveer 100 gram)

1-1,5 eetlepel shoarmakruiden

(1-2 teentjes knoflook)

5 gram agar-agarpoeder

Kook de rijst in de aangegeven tijd en hoeveelheid water met de bouillon gaar. Pers er de eventuele knoflook bovenuit.

Snijd de shii-take in smalle reepjes, de steeltjes worden ook gebruikt, en smoor ze samen met de ui, 2 eetlepels water en de shoarmakruiden 5 minuten in een anti-aanbakpan tot ze zacht zijn.

Kook 100 ml water 2-3 minuten met de agar-agar en roer dit, samen met het shii-takemengsel, door de gare rijst*.

Doe over in een (cake)vorm, druk stevig aan, laat afkoelen en in de koelkast verder opstijven om na 1-2 uur (of langer) te kunnen storten.

Deze shoarmarijst kan als een broodje in mooie plakken worden gesneden en als bijgerecht bij een maaltijd geserveerd.

Ook als hartig hapje in vierkante blokjes verdeeld een origineel gerechtje in plaats van kaas.

Sommigen houden niet zo erg van rijst, het kan dan verschil maken om de gare rijst te pureren met het sikkelmes in de keukenmachine, doe dit dan tegelijk met de agar-agar oplossing en roer het shii-takemengsel later door de rijst.

Roggepap ᴷ
1-2 Personen

100 gram volkorenroggemeel
500 ml water, magere melk of sojamelk*

Strooi het meel in de pan met vloeistof en een snufje zout, roer goed zodat er zich geen klontjes vormen en breng aan de kook.
Plaats de pan op een vlamverdeler en laat 15-20 minuten garen.

Naar eigen smaak eventueel zoet maken door er een klein scheutje diksap, jam zonder suiker of dadelstroop door te roeren.

Heel apart om te bestrooien met kasha of in een droge koekenpan geroosterde boekweitgrutten.

Aangenaam om in de winter de dag mee te beginnen.

---

* Er kan ook magere melkpoeder van koe of schaap worden gebruikt, strooi dit dan via een fijnmazige zeef bij het roggemeel. Meng goed en ga verder als in het recept.

Selderijsoep

3-6 Personen

groentebouillonblokje, -pasta of -poeder

1 struik bleekselderij

1 grote bloemkool

½-1 selderijknol of 400 gram

1 ui

1-2 teentjes knoflook

1 paplepel gedroogde basilicum

1 paplepel gedroogde selderij

1 theelepel kerriepoeder

Breng in een grote pan 1 liter water met de bouillon aan de kook.
Was de bleekselderij, ontdraad, snijd in stukken en doe in de pan.
Maak de bloemkool schoon, snijd in stukken en doe in de pan.
Schrob of schil de knol, snijd in stukken en doe in de pan.
Pel de ui, snijd in ringen en doe in de pan.
Als het water met de groenten erin kookt, pers dan de knoflook erbovenuit en strooi er de groene kruiden bij en de kerrie. Roer goed om en laat dan, met het deksel op de pan, in 20-30 minuten gaar worden.

Pureer tot romig met de keukenmachine/staafmixer en voeg eventueel wat extra water/bouillon toe als de soep te dik is.

Vele variaties om te serveren zijn mogelijk met deze soep.
Puur, met peper/nootmuskaat, ume-su, tamari of shoyu ∿.
Met grof gesneden volkorenbrood ⌐.
Met (geiten)kaas of komijnekaas erover geraspt ⋁.
Met een scheut (soja)room ⋁.
Vermengd met gepureerde avocado* ⋁.

Als maaltijdsoep heel aantrekkelijk om in een handomdraai elk een eigen variatie op het bord te laten maken door alle ingrediënten op tafel te zetten. Iedereen eet dan dezelfde soep, maar op een totaal verschillende manier afgerond.

* ⋁ *Maak de soep zoals boven beschreven, pureer het vruchtvlees van één rijpe avocado mee, op ongeveer 1 liter soep, laat nog even warmen op laag vuur niet meer koken! Serveer met gegrilde (zelfgepelde), grofgehakte pistachenootjes.*

Spruitjes met knoflook, ui en kaas ∨
2 Personen

500 gram spruitjes

1-2 teentjes knoflook

1 ui

100 ml groentebouillon van een blokje, pasta of poeder

kaas naar keuze aan het eind van het recept

Maak de spruitjes schoon, snijd kleintjes doormidden en grote in vieren.
Verhit in een grote koekenpan een scheut olijfolie en fruit hierin de knoflook,
heel fijngesneden of uit de pers en de in ringen gesneden ui.
Voeg de spruitjes en de bouillon toe en laat met het deksel op de pan in 8 minu-
ten gaar smoren.
Giet af en schep de spruitjes in een schaal.

Bestrooi of meng de spruitjes met;
geraspte oude of jonge (geiten)kaas of pardano,
schenk er gesmolten camembert of brie over,
meng in kleine stukjes gesneden camembert (geiten- of schapen)feta door de
spruitjes.

Olijven-avocadoboter ⌄

1 goed rijpe, zachte avocado
100 gram (groene)olijven zonder pit
(1-3 teentjes knoflook)
1 paplepeltje citroen- of limoensap

Schil de avocado, snijd in stukken en pureer met de rest van de ingrediënten met de keukenmachine/staafmixer. Doe over in het schaaltje waarin de "boter" ook geserveerd gaat worden. Duw de avocadopit in het midden van de boter, dit helpt tegen bruin kleuren, maak deze boter daarom ook niet al te lang van tevoren. Garneer met wat takjes peterselie.

Als vulling voor bleekselderijstengel of van pitjes en zaadlijsten ontdane tomaatjes.
Deze boter smaakt, in fase II, ook heerlijk op donker roggebrood, volkorenbrood met daarop eerst een blaadje sla, en op zilvervliesrijstwafels.

H E R F S T — W I N T E R

Groene knolselderijpuree ∿
2-3 Personen

1 selderijknol
100 gram wilde spinazie

Schrob of schil de knol, snijd in plakken en in stukken en kook in weinig water in ongeveer 20 minuten zacht. Giet af, maar vang het kookvocht wel op, dit is heerlijk om bleekselderij in te koken.
Was de spinazie en zet met aanhangend water op, laat in 5 minuten slinken. Doe over in een zeef/vergiet en druk er zoveel mogelijk het kookvocht uit. Pureer met de keukenmachine/staafmixer, samen met de gare knolselderij en breng op smaak met zout/peper of nootmuskaat.

Heerlijk bij witlof met kaasroomsaus uit de römertopf ⚓, maar het is ook lekker om deze groene puree te eten met gekookte bleekselderij die gekookt wordt in het kookvocht van de knolselderij.

Peer met eiwitschuim ⌐

1-3 Personen

1 grote handpeer
100 ml (natuurtroebel)peren- of appelsap of gebruik aangelengd appel- of perendiksap
1 theelepel kaneel- of gemberpoeder
1 eiwit*

De peer schillen en het klokhuis verwijderen. In de lengte in plakjes snijden. In een grote koekenpan, al roerende het sap met een ½ theelepel kaneel- of gemberpoeder aan de kook brengen, de plakjes peer erin leggen en ongeveer 3 minuten heel zachtjes laten koken.
Halverwege voorzichtig keren, de peerplakjes in het vocht laten afkoelen.

De grill op de hoogste stand verwarmen.
De plakjes peer zonder vocht op 1 of 2 vuurvaste schaaltjes leggen, het eiwit met een snufje zout, ½ theelepel kaneel of gember en eventueel 1 eetlepel diksap (appel of peer) heel stijfkloppen en op de peer scheppen.
De schaaltjes vlak onder de grill schuiven en in ongeveer 1 minuut het eiwit lichtbruin laten kleuren.
Het sap, waarin de peer gekookt en gemarineerd heeft, overdoen in een schenkkannetje en er apart bij serveren.

In fase II eventueel garneren met, in een droge koekenpan lichtbruin geroosterd, amandelschaafsel.

Eidooierrecepten bij de ᴠ index.

TIP: ᴠ 3 Verschillende kleuren volkorenmacaroni vermengd met kappertjes, gemengde (gevulde, geen pit!) olijven en fijngesneden bos- of lente-uitjes als koude schotel in fase II.

Paddestoelensaus - soep ᴷ

2-4 Personen

400 ml groentebouillon van een blokje pasta of poeder
250 gram grot-, mergel- of kastanjechampignons
250 gram oesterzwammen
1 prei
50 gram volkorentarwemeel of -boekweitmeel
100 ml droge witte wijn
(evt 3 eetlepels magere melkpoeder,
van koe of schaap of quinoacrème voor een romig effect)

Breng de bouillon aan de kook.
Wrijf de paddestoelen schoon met een stukje keukenpapier, snijd in plakjes en kook ze 5 minuten in de bouillon, giet af in een vergiet/zeef die boven een kom hangt.
Snijd de prei in ringen, was, doe ze in een grote koekenpan die op een laag vuur staat en laat zacht worden, roer er dan het meel bij en schenk er onder goed roeren de bouillon en eventueel de wijn bij.
Breng aan de kook zodat een mooie gebonden saus ontstaat.

Als er melkpoeder gebruikt wordt, los dit dan op volgens de gebruiksaanwijzing en voeg samen met de paddestoelen aan de bouillon toe.

Breng op smaak met (kruiden)zout en eet deze saus bij zilvervliesrijst, gekookte haver, kamut, soba of een andere volkorenpasta en bijvoorbeeld kortgekookte spruitjes.

Chocoladepasta met een exotisch smaakje
(fase II)

100 gram chocoladetablet* (>70% cacao)
4 eetlepels hazelnootolie
2-3 eetlepels tropical dream/exotische mix-diksap of sinaasappel-diksap

Hak de chocolade op een snijplank met een scherp mes in kleine stukjes.
Doe deze, samen met de olie en het diksap in een pan, met dikke bodem, die op heel laag vuur staat.
Laat smelten en roer met een houten lepel tot een dikke saus.
Laat afkoelen.
Doe over in een potje en bewaar op een koele plaats of in de koelkast.

Het is lekker, voor degene die van rijst-, gierst-, en boekweitwafels houdt, om deze te bestrijken met de nog warme pasta en dit in de koelkast te laten opstijven.

* De variatie met carob geeft een meelderige substantie, daarom staat de carob er deze keer niet bij als vervanging van de chocolade in de pasta, maar is wel als vervanging van chocolade te gebruiken als het wafelsnoep wordt gemaakt.

Wafelsnoep

met chocolade- (>70% cacao) of carobtablet

Met 4-5 rijstwafels kan ook ander lekkers worden gemaakt; dit gaat als volgt: knijp de wafels fijn of, nog beter, maal tot fijn in de keukenmachine.
Zeef het "stof" eruit en roer in de pan door de nog warme pasta.
Smeer, niet te dik, uit op ongebleekt bakpapier in een lage vorm en laat hard worden in de koelkast.
Snijd of breek in vierkantjes om te serveren.

Prei met kerriesaus ⌄

2·Personen

4 niet te dikke preien

2 eetlepels lecithine granulaat 98%

½ ui

1 eetlepel olijfolie

1 paplepel kerriepoeder

2 eetlepels (soja)room

zout en peper of kruidenzout

Van prei de worteltjes en het donkergroene blad verwijderen, wassen en in een wijde pan in 15 minuten gaar koken.

Overdoen in een vergiet die boven een maatbeker hangt en de prei uit laten lekken.

Laat de lecithine weken in 2 eetlepels water.

De ui pellen en fijnsnipperen, de olie verhitten in de pan en de ui met de kerrie 3 minuten zachtjes bakken.

De prei in een schaal op een rechaud of op (voorverwarmde) borden leggen.

Al roerende, 100 ml van het preikookvocht bij het ui/kerriemengsel schenken.

Van het vuur af de lecithine en de room erdoor roeren.

Op smaak brengen met zout en peper of kruidenzout en de saus over de prei schenken.

Lekker met hardgekookte eieren, sperziebonen en knolselderij in de vorm van puree ⚓ of dobbelstenen ⚓.

Tahoe op raapsteeltjes ⌄
(er zijn vroege en late raapsteeltjes!)
2 Personen

100 gram tahoe/tofu

2 eetlepels noten- of zadenolie

1 eetlepel ume-su

1 bosje of 100 gram raapsteeltjes

De tahoe even uit laten lekken op keukenpapier, in heel smalle plakjes, reepjes en vervolgens in kleine blokjes snijden.

De olie mengen met de ume-su en de tahoeblokjes erin leggen.

Van de raapsteeltjes lelijke blaadjes en worteltjes verwijderen.

In ruim water wassen en het vocht eruit slaan, klein snijden, op een schaal leggen en de tahoe/olie erover schenken.

Origineel als voorgerechtje, maar ook lekker als complete maaltijd aangevuld met in grove stukken gebroken walnoten, gebruik dan walnotenolie.

Karnemelkpuddinkje K
2 Personen

Wachttijd 1-2 uur voor het op laten stijven.

100 ml water
5 gram agar-agarpoeder of -vlokken
3 eetlepels (tropical dream- of appel-bosvruchten)diksap
125-150 ml (boeren)karnemelk

Zet het water op en strooi de agar-agar erbij, onder af en toe roeren aan de kook laten komen. Op een middelmatig vuur ongeveer 2-3 minuten laten koken.
Intussen het gekozen diksap mengen met de karnemelk.
De agar-agar af laten koelen, als het begint te geleren, dit gaat snel! Bij de karnemelk scheppen en alles samen nog eens goed mixen.
Overdoen in één of meer vormpjes en in de koelkast verder laten opstijven.

Erom denken dat er niet te veel tijd zit tussen de bereiding en het eten van dit puddinkje, in verband met de zuivel. Zie ook de gebruiksaanwijzing bij de agar-agarverpakking.

Knolselderij-witte bonenpuree ⏄
2-3 Personen

1 knolselderij*
300-500 gram gekookte witte bonen (of afgespoelde uit een pot zonder suiker)

Schrob of schil de knolselderij, snijd in plakken en in blokjes en kook in weinig water in 20 minuten gaar.
Giet af maar vang het kookvocht wél op.
Pureer de gare knolselderij samen met de bonen, doe terug in de pan en warm nog even goed door. Voeg naar smaak (kruiden)zout/peper toe en serveer bij tal van gekookte groenten, eventueel ook nog aangevuld met een volkorenpasta.

Geef het kookvocht apart bij de maaltijd.

Deze puree kan goed als basis voor een zuurkool- of rauwe andijvie/spinazie stamppot dienen.

Als volkorenbroodbeleg óók heel smakelijk, breng dan de puree pittig op smaak met bijvoorbeeld uitgeperste knoflook/sambal.

De puree is, na afkoeling in een potje 2-3 dagen te bewaren in de koelkast.

* *De knollen kunnen nogal eens verschillen van gewicht, reken op ongeveer een gelijke verdeling van knol-bonen of proef zelf welke verhouding het best bevalt.*

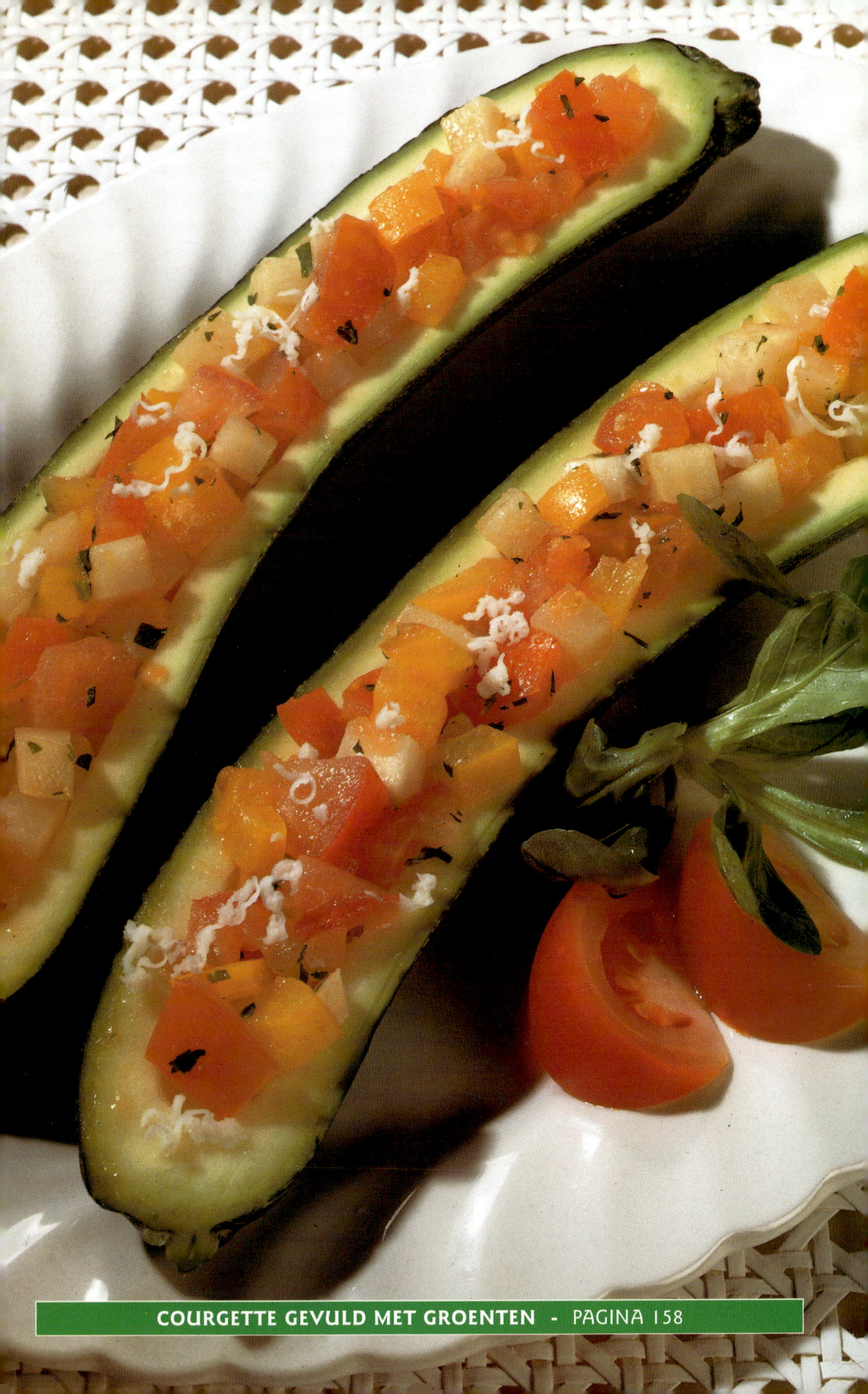

COURGETTE GEVULD MET GROENTEN - PAGINA 158

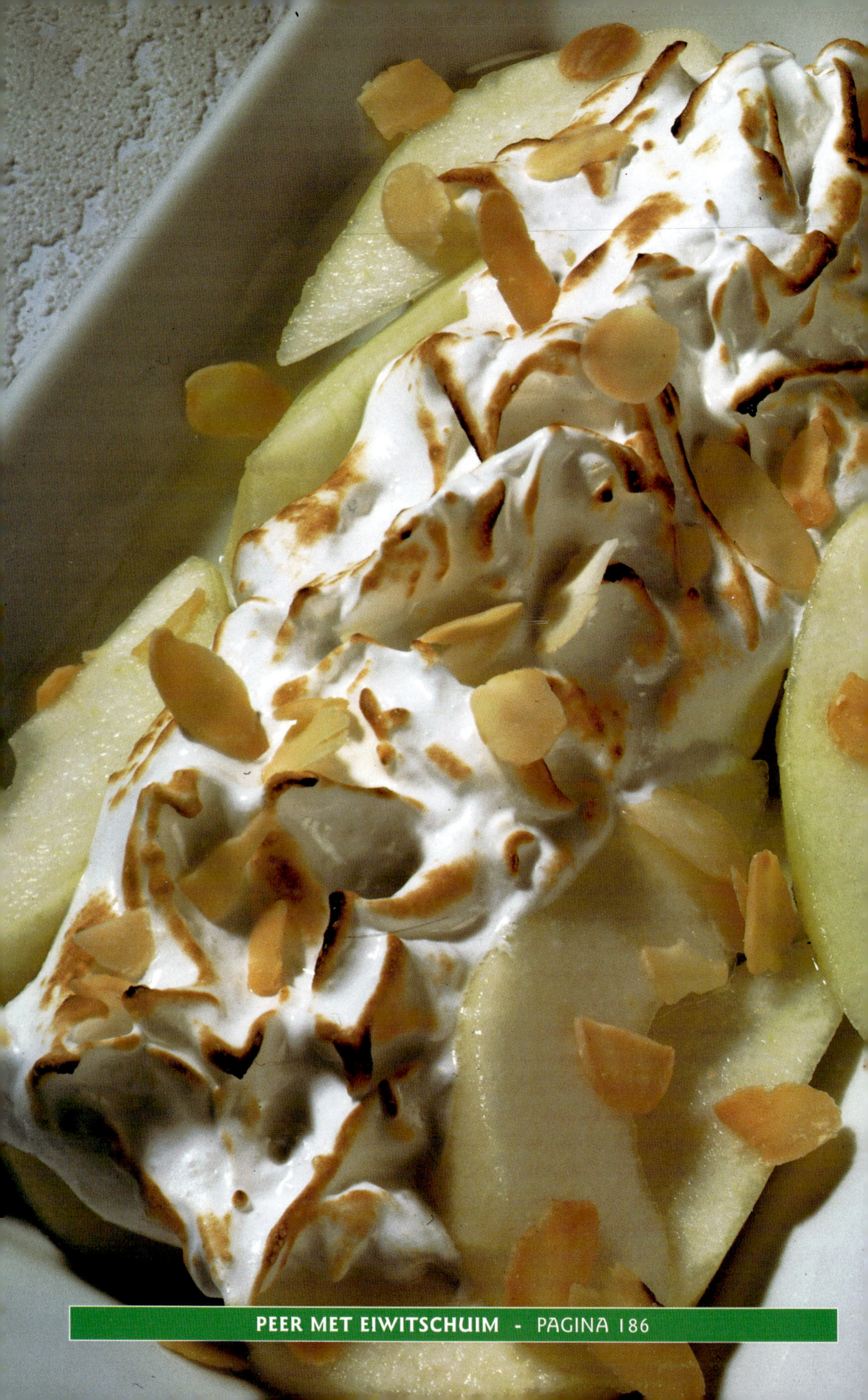

PEER MET EIWITSCHUIM - PAGINA 186

Fruitsalade met karwij of kummel ⌐

1-2 Personen

1-2 eetlepels limoensap, eventueel citroensap
1 theelepel karwij- of kummelzaadjes
1 rode grapefruit
1 appel

Doe het limoensap, samen met de zaadjes, in een kom.
Schil de grapefruit en verwijder, boven de kom met het limoensap zodat het sap niet verloren gaat, zoveel mogelijk van de witte velletjes.
Schep de stukjes grapefruit door het limoensap.
Was of schil de appel, verwijder het klokhuis en snijd in kleine partjes, boven de kom.

Schep alles door elkaar en serveer direct of laat in de koelkast door en door koud worden.

Eventueel serveren met (toefjes uitgelekte) magere yoghurt of -kwark.

Sojakaas-spruitjesmix ⌄

2 Personen

Wachttijd 1 uur of langer voor het marineren van de soja.

250 gram tahoe/tofu

1 eetlepel tamari of shoyu

1 eetlepel olie

1 theelepel laos

1 theelepel gemberpoeder

1-2 theelepels sambal

1-2 teentjes knoflook

250 gram spruitjes

¼ wit kooltje

½ courgette

(handje taugé)

Haal de tahoe uit de verpakking en zet het blok op keukenpapier om het meeste vocht eruit te laten trekken.

Snijd het blok in plakjes, leg 1-7 plakjes op een stapeltje en snijd in reepjes, tot alle tahoe op is. Doe de sojasaus, olie, laos, gember, sambal en uitgeperste knoflook in een schaal of kommetje en roer goed. Schep voorzichtig de reepjes soja erdoor. Laat dit geheel een uurtje (of veel langer kan ook) staan. Maak de spruitjes schoon en snijd ze doormidden.

Snijd de kool in heel fijne reepjes en rasp de courgette grof.

Zet de spruitjes op met ruim water en kook ze in 5-7 minuten beetgaar.

Doe ze over in een vergiet en spoel ze af met koud stromend water.

Kook de kool en de courgette, in een ander pannetje met weinig water, in 5 minuten beetgaar.

Giet af en schep bij de spruitjes in de vergiet.

Schenk een flinke scheut olie in een (anti-aanbak)wok en bak hierin de tahoereepjes op hoog vuur mooi bruin. Na korte tijd zijn de reepjes klaar.

Naar eigen keuze uit de pan scheppen op een dubbeldikke laag keukenpapier zodat het meeste vet wordt opgezogen, en weer terug doen in de pan, samen met de uitgelekte groenten om nog even door en door te laten warmen.

Een handvol taugé, op het laatst even meegewarmd, geeft een lekker knapperig effect aan deze schotel.

Serveer, aan tafel, met smaakmakers zoals extra sambal, ume-su, tamari of
shoyu.

Uitgebreid met knolselderijpuree ⚓ (tijdens pureren een scheutje slag-, garde-,
of sojaroom toevoegen maakt het heerlijk romig) en wat extra groenten kan
deze schotel ook voor meer personen dienen.

TIP: ⌣ Lekker door rauwe witlof+geraspte knolselderijsalade, 50 gram gegrilde (zelfgepelde) en gehakte pistachenootjes met 25 gram drooggeroosterde
pijnboompitten gemarineerd in sesamolie.

Chocolade- of carobpudding
(fase II)
4-6 Personen

50 gram chocolade- (> 70% cacao) of carobtablet
400 ml (soja)melk
2 eetlepels cacao- of carobpoeder
5 gram agar-agar
50-100 ml (soja)room

Maak de chocolade klein, dit gaat heel makkelijk op een houten snijplank met een scherp mes, en los de chocolade boven uiterst laag vuur op in enkele eetlepels van de melk.

Breng 200 ml van de melk aan de kook, roer er de chocolade-oplossing en het gezeefde cacaopoeder door en laat de chocolademelk 2 minuten héél zachtjes pruttelen.

Breng de rest van de melk met de agar-agar aan de kook en laat 2-3 minuten koken.

Roer de chocolade-oplossing door de agarmelk.

Laat even iets afkoelen en roer er scheutje voor scheutje de room (hoeveelheid naar smaak) door.

Doe over in verschillende kleine vormpjes of in een grote vorm en laat, in 1-2 uur, in de koelkast verder opstijven.

Deze pudding kan worden gestort.

Voor de liefhebber is het lekker om een scheutje (gezeefd)sinaasappelsap of sterke koffie(vervanger) met de room mee te roeren.

Koolschotel uit de oven ⤳

2 Personen

1 ui of 1 prei in ringen en gewassen

500 gram grot- of kastanjechampignons

1 blik gepelde tomaten

1 kg Chinese kool

50 ml tamari of shoyu

2 theelepels kerriepoeder

2 theelepels koriander = zelfde als ketoembar

De oven voorverwarmen op 200°C.

De ui/prei in een grote koekenpan op heel laag vuur zacht laten worden.

De champignons in niet te dunne plakken snijden en bij de ui/prei in de pan doen en 10 minuten laten smoren.

De tomaten overdoen in een vergiet die boven een maatbeker hangt.

Intussen de kool wassen, in smalle reepjes snijden en de helft op de bodem van een lage ovenschotel leggen.

Een sausje roeren van het tomatensap, de sojasaus, de kerrie en koriander.

Het champignonmengsel, met het stoofvocht, op de koolreepjes scheppen en de helft van het sojasausje erover schenken.

De rest van de kool erop scheppen en de tomaten, in plakjes gesneden, erop leggen. Rest van het sojasausje over de kool schenken.

De schotel afdekken met aluminiumfolie, glimmende kant binnen, en in het midden van de oven 25 minuten laten stoven.

Het folie verwijderen en nog eens 10 minuten in de oven laten bakken, eventueel bestrooid met Zwitserse strooikaas 1% vet.

Lekker met zilvervliesrijst of ander gekookt graan zoals gerst of haver of een mixture hiervan of met peulvruchtenpuree ⚓.

197

Amandelen anders ⌣

100 gram amandelen zonder of met vliesjes
kruiden-, selderij- of uienzout

Zet de amandelen met vliesjes op met koud water en laat er even de kook over gaan.
Doe over in een vergiet of zeef en wrijf er in een theedoek de velletjes vanaf.

Schenk een scheutje olijfolie in een koekenpan en bak hierin de amandelen mooi lichtbruin. Pas op ze zijn zo zwart!
Doe de amandelen in een zeef en strooi hier onder schudden het zout over.

Heerlijk als hapje bij een glaasje wijn, maar ook smakelijk om door een rauw-kostsalade te mengen of over bijvoorbeeld beetgaar gekookte broccoli te strooien.

Knolselderijpuree ～

2-4 Personen

1 selderijknol van ongeveer 400 gram
1 bloemkooltje

Kook de schoongeboende of geschilde en in stukken gesneden knol, samen met de roosjes van het bloemkooltje, in 15- 20 minuten gaar in weinig water en naar smaak met een stukje van een bouillonblokje of een theelepeltje -pasta of -poeder.

Doe over in een vergiet, vang het kookvocht, laat uitlekken en pureer.

Als de puree bij een vetmaaltijd gegeten wordt kan het smakelijk zijn om een scheutje slag-, garde- of sojaroom tijdens het pureren erbij te schenken. Bij een koolhydraatmaaltijd is 1-2 eetlepels crème de quinoa een mogelijkheid om een romig effect te verkrijgen. Heerlijk als basis voor zuurkoolstamppot ⚓.

Doe terug in de pan en warm, op laag vuur, nog even goed door.

Als de knolselderij meer weegt, is het lekker om een gedeelte te raspen, als rauwkost bij de maaltijd, wel besprenkelen met citroen- of limoensap om bruin kleuren te voorkomen.

Bij de knolselderijpuree is dit altijd een goede begeleider. Maak de rauwkost, afhankelijk van de rest van de maaltijd op smaak af met een sausje van magere yoghurt of olie.

Broccolistengel met ui/prei en tomatenpuree ∿

2-4 Personen

1 flinke struik broccoli
1-2 uien/prei
(1-2 teentjes knoflook)
70 ml tomatenpuree uit een potje/blikje, of zelfgemaakt

Verdeel de broccoli in roosjes, doe over in een zeef, eventueel met een paar kleine bloemkoolroosjes.

Schil de broccolistengel en snijd vervolgens in plakjes.

Snijd de ui(en)/prei in ringen. Doe over in een vergiet bij de plakjes broccolistengel, spoel af onder stromend water en schep in een anti-aanbakpan die op een middelmatige warmtebron staat.

Schep goed om zodat de groenten niet aanbranden. Schenk er ongeveer 100 ml water bij, pers de knoflook erbovenuit en voeg de tomatenpuree eraantoe. Laat, met het deksel op de pan, in 15-20 minuten garen.

Kook de roosjes, in weinig water in 5-7 minuten, beetgaar.

↙ Smaakt heerlijk bij gekookte witte of bruine bonen, soba, sojabrokjes gekookt in bouillon, quinoa of zilvervliesrijst. Eventueel nog aangevuld met knolselderijpuree ⚓.

∨ Of bij gegrilde aubergine ⚓, gebakken tahoe ⚓ of eipoffertjes ⚓.

Eischuim, gebakken zonder of met dooier ⁓of ⌄
1-2 Personen

2 eieren
peper, zout

De eiwitten scheiden van de dooiers* en de eiwitten, samen met de peper en het zout, heel stijf kloppen.
Een anti-aanbakkoekenpan verwarmen en het schuim erin laten glijden.
Als de dooiers ook worden gebruikt met een vinger twee "gaten" maken in het schuim en hier de dooiers inschenken. Met een deksel op de pan in onge-veer 5-8 minuten mooi bruin laten bakken en de dooiers laten garen.
Of doe de helft van het eiwit in de pan, maak in het midden het gaatje voor de dooier en vorm later, met een grote beker, netjes een cirkel uit het schui-mei, houd warm op een réchaud of gebruik twee pannen tegelijk.

Door het eiwit kunnen ook heel fijngeknipte (verse) tuinkruiden worden gemengd of specerijen naar smaak zoals paprikapoeder.

Lekker met sla en/of als hartig volkorenbroodbeleg als er geen dooiers wor-den gebruikt.

* *eidooiers naturel kunnen met een scheutje water of olie erop en afgedekt wel een week in de koelkast worden bewaard, er zijn allerlei heerlijke hapjes mee te bereiden. Kijk onder eidooierrecepten* ⌄.

TIP: ⌄ Ei losgeklopt met (soja)room, gebakken met (veel) in smalle ringe-tjes gesneden prei met kerriepoeder.

Groenteschotel van kool en koolrabi ~

2-4 Personen

2 schoongeboende/geschilde en grof geraspte koolrabi's*

1 in kleine ringen gesneden en daarna gewassen prei

¼ in smalle reepjes gesneden witte kool

½ tot 1 grof geraspte courgette

(uitgeperste teen knoflook)

Verhit de anti-aanbakpan en schep alle groenten erin. Schep goed om en om. Plaats het deksel op de pan en laat, op een laag pitje, 15 tot 20 minuten stoven. Serveer, aan tafel, met smaakmakers naar keuze zoals tamari, ume-su, kruiden-zout.

ⲕ Lekker bij volkorenbrood, -pasta, quinoa, sojabrokjes gekookt in bouillon, zilvervliesrijst of een mix van samen gekookte graansoorten en tomatensaus ⚓.

ⴸ Als deze groenteschotel bij een vetgerecht (tahoe gemarineerd ⚓) wordt gegeten, kunnen de groenten ook in een klein scheutje olie worden bereid.

In april/mei als er meiraapjes zijn kunnen deze de koolrabi's vervangen.

TIP: ⲕ Goudreinetten bijna tot moes gekookt met een klein scheutje water en bestrooid met gember- of kaneelpoeder. Weer eens heel anders om te mengen met gekookte granen en in fase II enkele walnoten erdoor gemengd.

Chocoladepasta met appel/walnotenaroma
(fase II)

100 gram chocolade*(> 70% cacao)
4 eetlepels walnotenolie
2 eetlepels appeldiksap

Hak de chocolade op een snijplank met een scherp mes in kleine stukjes en doe deze, samen met de olie en het diksap, in een pan met dikke bodem, die op heel laag vuur staat.
Laat smelten en roer met een houten lepel tot een dikke saus. Strooi er naar wens eventueel wat heel klein gesneden walnoot doorheen.
Laat afkoelen. Doe over in een potje en bewaar op een koele plaats of in de koelkast.

Het is lekker, voor degene die van rijst-, gierst-, en dergelijke wafels houdt, om deze te bestrijken met de nog warme pasta en dit in de koelkast te laten opstijven.

* *De variatie met carob geeft een meelderige substantie, daarom staat de carob er deze keer niet bij als vervanging van chocolade in de pasta, maar is wel als vervanging van chocolade te gebruiken als het wafelsnoep wordt gemaakt.*

Wafelsnoep

met chocolade- (70% cacao) of carobtablet

Met 4-5 rijstwafels kan ook ander lekkers worden gemaakt; dit gaat als volgt: knijp de wafels fijn of, nog beter, maal tot fijn in de keukenmachine.
Zeef het "stof" eruit en roer door de nog warme pasta.
Smeer, niet te dik, uit op ongebleekt bakpapier in een lage vorm en laat hard worden in de koelkast. Snijd of breek in vierkantjes om te serveren.

Citroenuitjes ∿

2 Personen

200 gram sjalotjes*
(1 teentje knoflook)
2 eetlepels citroensap
paar takjes peterselie, of gedroogde

Pel de uitjes en snijd ze in ringen, doe ze in een anti-aanbakkoekenpan met een scheutje water en pers er de knoflook bovenuit.
Laat de uitjes, in ongeveer 20 minuten, zacht en glazig worden en schenk er het citroensap bij.
Knip de peterselie fijn boven de pan, meng met de citroenuitjes en serveer lauw bij venkel, spruitjes of andere beetgaar gekookte groenten van het seizoen, begeleid door zilvervliesrijst, quinoa of een ander gekookt graan.

⌐ De uitjes kunnen (uitgelekt) ook als volkorenbroodbeleg worden gebruikt.

Reken per persoon op ongeveer 100 gram ui en 1 eetlepel citroensap.

* *Er kunnen uiteraard ook andere uien worden gebruikt zo krijgt dit gerechtje, al is het heel subtiel, een ander smaakje.*

TIP: ⌐ Beetgaar gekookte volkorenpasta van tarwe of kamut, met in de laatste 5 minuten meegekookte smalle preiringetjes bestrooid met ruim kerriepoeder, citroenuitjes ⚓ en capucijnerpuree.

Gembersiroop ⚓

verse gemberwortel ter grootte van een flinke walnoot, of meer*
50 ml appeldiksap

Schil de gember en snijd in heel dunne plakjes, leg de plakjes op een stapel-tje en snijd of hak in mini-minidobbelsteentjes.
Schenk het appeldiksap in een kopje en pers de gember, met een knoflook-pers, bij het diksap. Laat marineren** of gebruik direct.
Deze siroop is voor gemberliefhebbers een heerlijke toevoeging aan tomaten-soep met bijvoorbeeld volkorenbrood of gekookte granen/pasta.
Serveer apart zodat ieder een eigen hoeveelheid door zijn portie soep kan mengen.
Echter óók bijzonder om te mengen door (uitgelekte)magere yoghurt als dip-sausje, of in fase II, gemberijs ⚓ mee te bereiden.

Door 1 x gerezen brooddeeg te kneden geeft een heel lekker broodje ⚓.

Deze siroop kan ook dienen als een verwarmend drankje, op een koude win-terdag; schenk 2-3 eetlepels van de siroop in een beker, giet daar kokendheet water op en drink zo warm mogelijk.

Verse gember- en mierikswortel vlak voor gebruik schillen en raspen, de rest in een zakje in de koelkast bewaren.

TIP: *Fase II* De gembersiroop mengen met kwarknaise ⚓, mayonaise of tofu-naise.

* *De aangegeven hoeveelheid gember is relatief en kan geheel naar eigen voorkeur worden aangepast.*

** *De siroop kan in de koelkast in een afgesloten potje worden bewaard, dat is prettig want het is een beetje een "prutskarweitje" om te bereiden, echt iets om in een ver-loren uurtje te maken.*
Een grotere hoeveelheid kan ook met het sikkelmes in de keukenmachine worden bereid, schil 100 gram gemberwortel en snijd in kleine stukjes, giet hier 100 ml appeldiksap bij en pureer tot vloeibaar. Wrijf eventueel eerst nog door een zeef.

Geitenkaasfondue ⌄

2-3 Personen

400 gram geitenkaas jong, jong belegen
200 gram geitenkaas belegen
300 ml witte wijn
1 eetlepel boekweitmeel (de hoeveelheid koolhydraten is te verwaarlozen in dit gerecht en daarom toegestaan in fase I)

Snijd de jonge geitenkaas met de kaasschaaf in plakken en rasp de belegen geitenkaas.

Vermeng het meel met een scheutje van de wijn, roer goed want boekweit wil graag klonteren.

Doe de rest van de wijn in een pan met dikke bodem, waarvan de wanden eventueel eerst met een teentje knoflook zijn ingesmeerd, en breng aan de kook.

Laat de beide kazen hierin zachtjes smelten, blijf goed roeren totdat alle kaas gesmolten is.

Schenk het meel-wijnmengseltje erbij en laat, onder voortdurend roeren, het geheel binden*.

Lekker om te dopen met;
kleine roosjes beetgaar gekookte broccoli en/of bloemkool,
15 minuten gekookte dobbelstenen knolselderij/koolrabi,
3 cm lange, 7 minuten (in knolselderijkookvocht) gekookte bleekselderijstengel, champignons, stukken courgette, kerstomaatjes, radijsjes, verschillende kleuren rauwe paprika.

En geserveerd met noten- of zadenolie aangemaakte rauwkostsalades.

* *Mochten zich onverhoopt toch wat klontjes in de fondue gevormd hebben gebruik dan de staafmixer om dit te verhelpen.*

Sojachipjes ⌵

Wachttijd 2-6 uur voor het marineren van de tahoe/tofu.

125-250 gram tahoe/tofu
3 eetlepels ume-su
6 eetlepels tamari of shoyu
theelepeltje tabasco

De tahoe uit laten lekken op (dubbelgevouwen) keukenpapier.
Vervolgens in dunne plakjes snijden, deze plakjes weer op elkaar leggen en in vieren snijden.
Een marinade maken van de overige ingrediënten in een hoge kom en hier de vierkanten 2-6 uur in laten marineren.
De gemarineerde tahoe overdoen in een zeef, maar wel het vocht opvangen.

Vanuit de zeef even op keukenpapier leggen om het meeste vocht eruit te laten trekken.
Op een hoog vuur, in ruim olijfolie, mooi bruin en krokant bakken en (alweer) op keukenpapier leggen, deze keer om het vet eruit te laten trekken.
Het opgevangen marinadevocht eventueel in de pan, na het bakken erbij schenken en laten inkoken.

Deze "chipjes" zijn lekker bij bijvoorbeeld bloemkoolsojacake ⚓, maar ook bij een groene salade of als hartig hapje bij een glaasje rode wijn.

Grapefruitsalade ↙

1 Persoon

1 rode grapefruit
1 theelepeltje appel-, sinaasappel- of tropical dreamdiksap
½ theelepeltje (4 seizoenen)peper uit de molen
paar sprietjes verse (of 1 eetlepel gedroogde) bieslook

Schil de grapefruit en verwijder, boven een kommetje zodat het sap niet ver-
loren gaat, zoveel mogelijk van de witte velletjes en de eventuele pitjes.
Verdeel de grapefruit op een schaaltje of bordje in partjes en meng het sap
met het citrussap, het gekozen diksap en maal de peper erboven, roer goed
door elkaar en schenk* over de partjes.
Knip de bieslook erboven klein of strooi de gedroogde erover en serveer als
een licht voorgerechtje.

Reken op ongeveer 1 grapefruit per persoon en verdubbel voor meer eters de
rest van de ingrediënten.

De grapefruitsalade wordt extra origineel door er een lepeltje (zelfgekiemde)
mosterdzaadjes doorheen te scheppen.

*Stel dat er veel sap vrij komt en dit gerechtje wordt als voorgerecht bij een etentje
geserveerd, is het misschien een idee om het "overtollige" sap apart, in een decoratief
schenkkannetje, op tafel te zetten zodat ieder naar eigen smaak kan toevoegen of
om sneeuwijs ⚓ van te maken.*

TIP: ↙ Gekookte granen vermengd met gekookte kikkererwten, met
gestoofde en ruim peper of Italiaanse- of Provençaalse kruiden bestrooide
mergel-, grot- of kastanjechampignons uit de römertopf ⚓.

Chocoladepasta
(fase II)

100 gram chocolade* (> 70% cacao)
4 eetlepels hazelnootolie
2 eetlepels appeldiksap
(1-2 eetlepels gehakte hazelnootjes)

Verdeel de chocolade in kleine stukjes en doe deze, samen met de olie en het diksap, in een pan die op heel laag vuur staat.
Laat smelten en roer met een houten lepel tot een dikke saus.
Strooi er naar wens de hazelnootjes bij, roer en laat afkoelen.
Doe over in een potje en bewaar op een koele plaats of in de koelkast.

Het is lekker, voor degene die van rijst-, gierst-, en boekweitwafels houdt, om deze te bestrijken met de nog warme pasta en dit in de koelkast te laten opstijven.

* De variatie met carob geeft een meelderige substantie, daarom staat de carob er deze keer niet bij als vervanging van de chocolade in de pasta, maar is wel als vervanging van chocolade te gebruiken als het wafelsnoep wordt gemaakt.

Wafelsnoep

met chocolade- (>70% cacao) of carobtablet

Met 4-5 rijstwafels kan ook ander lekkers worden gemaakt; dit gaat als volgt: knijp de wafels fijn of, nog beter, maal tot fijn in de keukenmachine.
Zeef het "stof" eruit en roer in de pan door de nog warme pasta.
Smeer, niet te dik, uit op ongebleekt bakpapier in een lage vorm en laat hard worden in de koelkast. Snijd of breek in vierkantjes om te serveren.

TIP: Volkorenbrood besmeerd met pittige peulvruchtenpuree ⚓, en belegd met (zelfgekiemde) radijs- of preischeuten.

Knolselderijdobbelsteentjes ⌄
2 Personen

1 knolselderij*

Schrob of schil de knolselderij, snijd in dikke plakken en vervolgens in dobbelstenen.
Verhit een scheut olie in de koekenpan en bak hierin, onder af en toe omscheppen in 15-20 minuten, de knolselderij aan alle kanten mooi goudbruin. Proef even of de knolselderij gaar is doe over in een schaaltje of op de (voorverwarmde) borden en bestrooi met (kruiden)zout en wat peterselie.

* *Voor twee personen is 300-400 gram schoongemaakte knolselderij meestal wel voldoende, maar soms zijn de knollen veel zwaarder. Kook dan het teveel en gebruik als vulling voor soep of pureer.*
Deze puree smaakt lekker bij diverse gekookte groenten, maar ook bij de gebakken dobbelsteentjes.
De puree kan in de koelkast, na afkoeling, tot de volgende dag bewaard worden.

Rauwe geraspte knolselderij is ook lekker als onderdeel van een salade.

Knolselderijdobbelstenen speciaal ⌄

Ga te werk als het recept boven, maar voeg er, als de knolselderij mooi gebruind is, een gepelde en in ringen gesneden rode ui aan toe en laat deze mee gaar worden.
Deze combinatie smaakt bijzonder lekker bij rauwkost van geraspte knolselderij met rauwe witlof en gebroken walnoten, kortgekookte spruitjes en de citroenroom ⚓.

Thee ⁓

1 liter water
1 theelepel gember- of 1 theelepel kaneelpoeder
groene thee (pai mu tan) hoeveelheid naar eigen smaak

Laat het water aan de kook komen, haal de pan van het vuur.
Strooi de poeder en de thee in het water, roer om, doe het deksel op de pan
en laat ongeveer 35 minuten trekken.
Laat via een theezeef in de theepot lopen en drink deze thee naar eigen voor-
keur gloeiend heet.
Of afgekoeld en ijskoud.

HERFST – WINTER

Koolraappuree ⁓
2 Personen

400 gram koolraap

Schil de raap, snijd in plakken en in stukken en kook in weinig water in 25-30
minuten gaar. Pureer met de keukenmachine of staafmixer.

⌄ Lekker met in de koekenpan drooggeroosterde pompoen- of pijnboompitten en gestoofde kool.

Zuurkooltaart ⤚

2-6 Personen

500 gram uitgelekte zuurkool
300 gram witte bonenpuree of 400 gram knolselderijpuree ⚓,
of een combinatie van beide
4 (oude)volkorenboterhammen
(1-2 eetlepels kummel-/karwij- of komijnzaad)

Warm de oven voor op 200°C.
Vermeng de zuurkool goed met de gekozen puree.
Bekleed een vuurvaste schotel met ongebleekt bakpapier en zorg dat het over de rand van de vorm hangt.
Leg hierop de boterhammen en verdeel de zuurkoolpuree erover en, voor de liefhebbers, bestrooi met één van de bij de ingrediënten genoemde zaadjes.
Zet in het midden van de oven en laat, in 20-30 minuten, door en door heet worden.

Haal uit de oven, til op aan het bakpapier, leg op een voorverwarmd bord en trek het papier eronderuit.

Smakelijk als maaltijd, maar ook origineel als lauw of koud éénhapshapje, snijd hiervoor het brood in mooie vierkantjes.

Lente-herfstsalade* ⤢

2-4 Personen

100 gram gekiemde groentemix
125 gram (winter)wortel
(125 gram rode biet is -nog- een overtreding in fase I&II)
125 gram knolselderij

Blancheer de kiemgroentemix 3 minuten, doe over in een zeef en laat uitlekken. (Dun)schil de wortel, (biet) en knolselderij en rasp ze fijn, meng de kiem-groentemix erdoor en maak eventueel nog op smaak met (kruiden)zout.
Heerlijk als salade op volkorenbrood, als vulling voor volkorenpitabroodjes, bestrooid met volkorenbroodcroutons uit de broodrooster, of bij gekookt graan.

Een prima onderdeel bij een groentebouillonfondue ⚓ of hapjestafel ⚓.
Bij onverhoopt meer eters dan verwacht te mengen met 100 gram koude of warme, gare zilvervliesrijst/haver/tarwe.

Decoratief om te serveren op een schaal die eerst is "bekleed" met rauwe wit-lofblaadjes.

In fase II bijzonder smakelijk om aan te vullen met sesamolie en te bestrooien met sesamzaadjes of gomasio.

* *De naam van het recept heeft hier, vind ikzelf altijd wanneer ik hiervan smul, een dubbele betekenis; immers, de gekiemde groenten zijn een nieuw begin van leven (lente) vers te koop gedurende het hele jaar, terwijl de wortel, biet en knolselderij oude knarren in het jaargetijde lente nog over zijn van de herfst/winter daarvoor.*

Volkorenbroodcroutons ⟋

(oude)volkorenboterhammen

Rooster het brood in de oven of in de broodrooster en snijd vervolgens in kleine dobbelsteentjes.

Heerlijk over de lente-herfstsalade, met of zonder biet, van pag. 213.

In fase II het brood in kleine dobbelsteentjes snijden, een scheut olie in een anti-aanbakkoekenpan verhitten en de dobbelsteentjes hierin, onder voortdurend omscheppen met naar keuze een teentje knoflook erbovenuit geperst, aan alle kanten mooi bruin en knapperig bakken.
Laat, op een keukenpapiertje, het meeste vet eruit trekken.

Heerlijk in groentebouillon ⚓, maar ook lekker bij een soep gemaakt van groentebouillon en lekker dik gemaakt met gepureerde witte bonen/kikkererwten of over groentepuree.

Spruitjes + eivariatie ⌄

2-6 Personen

500 gram (kleine) spruiten

1 prei

1-2 teentjes knoflook

2-3 eieren

200 ml groentebouillon van een blokje, pasta of poeder

2 theelepels paprikapoeder

(naar keuze geraspte (geiten)kaas*)

Maak de spruitjes schoon en halveer grote spruiten. Snijd de prei in ringen, was, en laat uitlekken.

Verhit een scheut olijfolie in een grote koekenpan en bak hierin de spruitjes. Pers de knoflook erbovenuit en voeg de prei eraantoe.

Laat op hoog vuur de prei slinken zet dan het vuur laag en laat, in ongeveer 10 minuten, de spruitjes/prei garen.

Klop de eieren los met de bouillon en de paprikapoeder.

Schenk dit mengsel over de spruitjes en laat, met een deksel op de pan, het gerecht nog 10-15 minuten zachtjes stoven tot het ei gestold en de eventueel gebruikte kaas gesmolten is.

Bestrooi voor het serveren (ruim) met (zelf)geraspte nootmuskaat.

Lekker als complete maaltijd, maar ook bijzonder als voorgerecht: laat dan de schotel, van het vuur af, even rusten en snijd vervolgens als een taart in punten.

* *In plaats van kaas kan ook worden gekozen voor tahoe/tofu, pureer dit dan samen met de bouillon voordat deze wordt losgeklopt met de eieren.*

Sojaroomparfait
(fase II)

4 Personen

2-4 eiwitten*
1 theelepeltje citroen- of limoensap
snufje zout
3-4 eetlepels diksap, smaak naar keuze
ongeveer 50 ml sojaroom, is in dit gerecht niet te vervangen door slagroom!

Klop de eiwitten samen met het citrussap en het zout heel stijf.
Voeg er dan het diksap bij en mix nog eens gedurende 3-5 minuten.
Schenk heel langzaam de sojaroom erbij terwijl de mixer nog steeds op hoog toerental draait.
Pas op dat het schuim niet teveel inzakt, dit gebeurt als er teveel sojaroom wordt gebruikt. De aangegeven hoeveelheid is dan ook alleen een aanwijzing.
Schep in een (cake)vorm of in meer vormpjes en plaats in de vriezer. Al na een uurtje (of veel later) kan de parfait worden gestort en geserveerd in plakken of in stukjes gesneden.

* *Kijk bij de ∨ index voor eidooierreceptjes.*

TIP: ⼁ Linzenkorianderpuree ⚓ op volkorenbrood.

Eidooier* gebakken ⌄

1-4 Personen

2-4 eidooiers
smaakmaker naar keuze

Roer de dooiers los met naar smaak wat zout en peper, of een paar eetlepels geraspte (geiten)kaas.

Smeer een klein anti-aanbakkoekenpannetje (17-18 cm Ø) in met wat olijf-olie en laat hier de dooiers in lopen op een niet te hoog vuur, in 10-15 gaar laten worden.

Of ga te werk zoals beschreven bij de eipoffertjes.

Bak naar eigen keuze aan één of aan beide kanten.

Schuif op een snijplank en snijd in reepjes of steek er met uitsteekvormpjes figuurtjes uit.

De figuurtjes zijn heel leuk om gerechten mee te garneren, maar ook smake-lijk door een groentebouillon ⚓.

Of om bijvoorbeeld de rand van een bord of schaal mee te versieren.

De eidooiers kunnen met allerlei smaakmakers aangevuld worden zo is een schepje sambal of versgeknipte tuinkruiden ook heel lekker.

Warm als middagmaal met rauwkostsla of koud als hartig hapje.

---

* *Eidooiers naturel kunnen met een scheutje olie erop en afgedekt wel een week in de koelkast worden bewaard. Meer recepten bij de* ⌄ *index.*
Bewaar de eiwitten in een afgesloten potje!
Er staan bij de ⮞ , ⧸⧹ *& fase II index nog enkele suggesties om de eiwitten (sneeuwijs* ⚓, *sojaroomparfait* ⚓, *kaneelijs* ⚓) *te bereiden.*

Amandelmarsepein-anders
(fase II)

Wachttijd 2-14 dagen!

200 gram amandelen zonder vliesjes
70-100 ml tropical dream diksap
1-2 eetlepels amandelolie*

Doe de amandelen in de beker van de keukenmachine, maal tot een grove pasta.

Voeg er 70 ml diksap en 1 eetlepel olie bij en maal nog eens.

Proef, en constateer voor een smeuïg geheel of er eventueel nog extra olie/diksap moet worden toegevoegd en maal nog eens 5 minuten tot een gladde pasta.

Kneed met vochtige handen tot een bal en bewaar de "amandeldiksapbal", in een afgesloten potje 2-14 dagen, tot gebruik in de koelkast.

De "marsepein" wint aan smaak na enkele dagen rust.

Maak van de bal met vochtige handen kleine balletjes en rol ze wel of niet, in een kom met ronde kanten, door gezeefd cacao- of carobpoeder of rol er sliertjes van waarmee letters of cijfers kunnen worden gevormd.

De amandelmarsepein is ook heerlijk om verse dadels ⚓ mee te vullen.

---

* *Amandelolie is het lekkerst om te gebruiken, maar kan eventueel worden vervangen door een andere notenolie. Meet met dezelfde lepel als waarmee de olie is gemeten het diksap af. Dit blijft dan niet aan de lepel kleven maar glijdt er makkelijk vanaf.*

Sinaasappelrijst ↶

2-4 Personen

150 gram (ronde)zilvervliesrijst
300 ml (zelfgeperst & gezeefd) sinaasappelsap
3-4 eetlepels tropical dream- of sinaasappeldiksap

Kook de rijst in de aangegeven tijd gaar in het sinaasappelsap.
Roer het diksap erdoor en serveer direct, of laat de rijst in de pan afkoelen en later in de koelkast door en door koud worden.
Er is nog een mogelijkheid, schep de rijst als ze nog warm is, in kommetjes of vormpjes druk goed aan en laat koud worden, de rijst kan dan als timbaaltjes worden gestort.

HERFST – WINTER

Boerenkoolsla ⌄

1-2 Personen

Wachttijd eventueel een uurtje.

100 gram in heel fijne reepjes gesneden boerenkool
75 ml olijfolie
2 eetlepels (appel)azijn
2-3 eetlepels pijnboompitten

Breng de olie met de azijn aan de kook, haal van het vuur en schep de boerenkoolreepjes erdoor. Bestrooi met peper/zout en mix door elkaar.
Bekleed een vergiet met dubbelgevouwen keukenpapier en schep de boerenkool erop.
Laat, indien gewenst in ongeveer een uurtje, een deel van de olie in het keukenpapier trekken. Schep de kool op een bord.
Rooster de pijnboompitten in een droge koekenpan mooi lichtbruin en strooi deze vlak voor het serveren over de boerenkool.
Deze salade is lekker om aan te vullen met spruit-knolselderijpure ⚓ ∿ of ⌄ en gegrilde aubergineplakken.
Of om van te genieten als complete maaltijdsalade, dan aangevuld met in fijne reepjes gesneden rauwe witlof, beetgaar gekookte kleine lauwe spruiten en stukjes avocado.

Spruiten met (grofgehakte) hazelnoten of amandelen ∨

2 Personen

500 gram spruiten
100-150 gram hazelnoten of amandelen met of zonder vliesjes

Maak de spruiten schoon en kook ze, in ruim water in 8-10 minuten, beet-gaar.
Rooster intussen in een droge koekenpan de hazelnoten of amandelen.
Giet de spruitjes af en meng er de noten/amandelen door.

Lekker met gestoofde kool, (groene)knolselderijpuree ⚓ en geraspte rauwe knolselderij aangemaakt met notenolie.

TIP: ⤢ Gekookte granen rogge, kamut of haver(vlokken) met een scheutje diksap of lepel suikervrije jam.

Sinaasappel-rijstpudding K
4-6 Personen

Wachttijd 1-5 uur.

(3 eetlepels ongezwavelde rozijntjes fase II)
500 ml (versgeperst, gezeefd) sinaasappelsap
5 gram agar-agarpoeder of -vlokken
150 gram gare (ronde)zilvervliesrijst, mag koud of warm zijn (restje?)

Week de rozijntjes, 1-4 uur, in zoveel sinaasappelsap zodat ze onder staan.

Doe over in een zeef of vergiet en laat het sinaasappelsap weer bij de rest van het sap lopen en breng dit, samen met de agar-agar, aan de kook.
Laat 2-3 minuten koken.
Schep de rijst en de geweekte rozijntjes door elkaar en meng dit door het inmiddels al wat afgekoelde sinaasappelsap.
Als het begint te geleren doe het geheel dan over in één (cake-of pudding)-vorm of in verschillende kleine vormpjes.
Laat verder afkoelen en zet in de koelkast om koud te worden.

Eventueel te garneren met diksaptoefjes ⚓ of sinaasappelsnoepjes ⚓.

Amandel-diksapsnoepjes
(fase II)

Wachttijd 2-14 dagen!

200 gram amandelen zonder vliesjes
1-2 eetlepels amandelolie*
70-100 ml diksap, smaak naar wens

Doe de amandelen in de beker van de keukenmachine, maal tot een grove pasta, voeg er 1 eetlepel olie en 70 ml diksap bij en maal nog eens.
Proef, en constateer of er eventueel olie/diksap extra moet worden toegevoegd en maal nog eens 5 minuten tot een gladde pasta. Kneed met vochtige handen tot een bal en bewaar de "amandeldiksapbal", in een afgesloten potje 2-14 dagen, tot gebruik in de koelkast. De snoepjes winnen aan smaak na enkele dagen rust.

Maak van de bal met vochtige handen kleine balletjes of rol er sliertjes van waarmee letters of cijfers kunnen worden gevormd.

* *Amandelolie is het lekkerst om te gebruiken, maar kan eventueel worden vervangen door een andere notenolie. Meet met dezelfde lepel als waarmee de olie is gemeten het diksap af. Dit blijft dan niet aan de lepel kleven maar glijdt er makkelijk vanaf.*

TIP: ⌣ Groene knolselderijpuree ⚓ met daardoor grofgebroken walnoten. In het kookvocht van de knolselderij gekookte bleekselderij, salade van rauw geraspte knolselderij, ministukjes rauwe bleekselderij en walnotenolie en alfalfa. Eventueel nog aangevuld met sojachipjes ⚓.

Sojacrème ⌄

3-6 Personen

250 gram tahoe/tofu
2 eetlepels sesam- of notenolie
2 eetlepels citroen- of limoensap
2 theelepels ume-su, of (appel)azijn met wat zout
(enkele eetlepels sojaroom)

Stoom de in grove stukken gesneden tahoe 3-5 minuten in een stoompan of in een gewone pan met een stoomnetje.
Laat even uitdampen en doe over in de kom van de keukenmachine/staafmixer, samen met de overige ingrediënten, uitgezonderd de sojaroom.
Laat de machine 2-3 minuten draaien tot een mooie homogene saus is ontstaan.
Voeg naar eigen keuze enkele eetlepels sojaroom toe om de saus wat meer vloeibaar en "zachter" te laten worden.

Serveer deze crème bij een groenteschotel, bij groentebouillonfondue ⚓, barbecue ⚓ of hapjestafel ⚓.

TIP: ⌄ Boerenkool gaargestoofd in olijfolie met preiringen en taugé. Besprenkeld met sojaroom + gebakken tahoe ⚓.

TIP: ⌄ Kortgekookte spruitjes met (soja)roomsaus + in de droge koekenpan geroosterde pijnboompitten, knolselderij(puree) ⚓ en paprikasaus ⚓.

Appelbrood ⟋

500 gram volkorentarwe- of kamutmeel
1 eetlepel droge gist of voldoende voor 500 gram meel
1 eetlepel gemberpoeder
1 eetlepel korianderpoeder = hetzelfde als ketoembar
1 eetlepel zout
300 ml zelfgeperst (sapcentrifuge) of natuurtroebel, lauwwarm appelsap 35°C
1 zoetzure appel
30 gram verse gemberwortel = ongeveer 20 gram geschild

Meng de gist door het meel en daarna de smaakmakers, schenk er dan het appelsap bij en kneed in 10-15 minuten tot een mooie, soepele deegbal.
Laat het deeg in een kom, met daarover een warme natte doek, in een uurtje op kamertemperatuur rijzen.
Schil de appel verwijder het klokhuis en snijd in kleine stukjes boven een kom.
Schil de gemberwortel, snijd in heel smalle plakjes hak heel fijn en meng goed met de appelstukjes.
Dek de kom af en zet weg op kamertemperatuur.

Kneed het deeg nogmaals 10 minuten en werk de appel-gember erdoor.
Doe over in de broodvorm en laat met de doek erover nog eens in een uurtje rijzen.
Warm de oven voor op 220°C en bak het appelbrood, in 30-40 minuten, mooi bruin en gaar.
Haal uit de vorm en laat op een rooster uitdampen.

Dit brood is vers al lekker om te eten, maar wint nog meer aan smaak na 1-2 dagen verpakt te zijn in aluminiumfolie.

Heerlijk om zo puur te verorberen, maar weer heel anders door te verrijken met een (uitgelekt) magere kwarksmeersel vermengd met een beetje appeldiksap of appel- peren- of dadelstroop.
Zelfs smakelijk om met rauwe, gele paprika te beleggen.

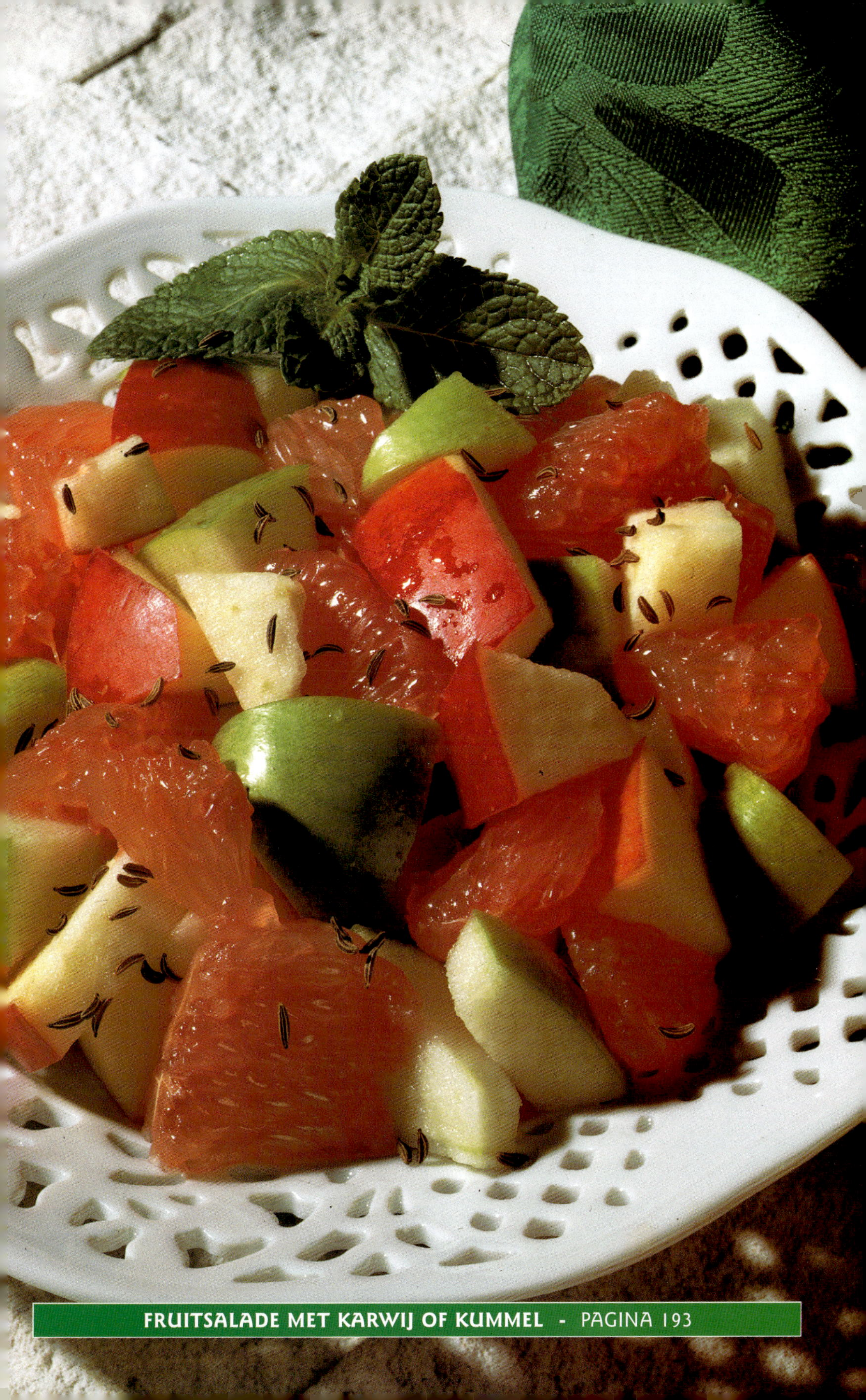

FRUITSALADE MET KARWIJ OF KUMMEL - PAGINA 193

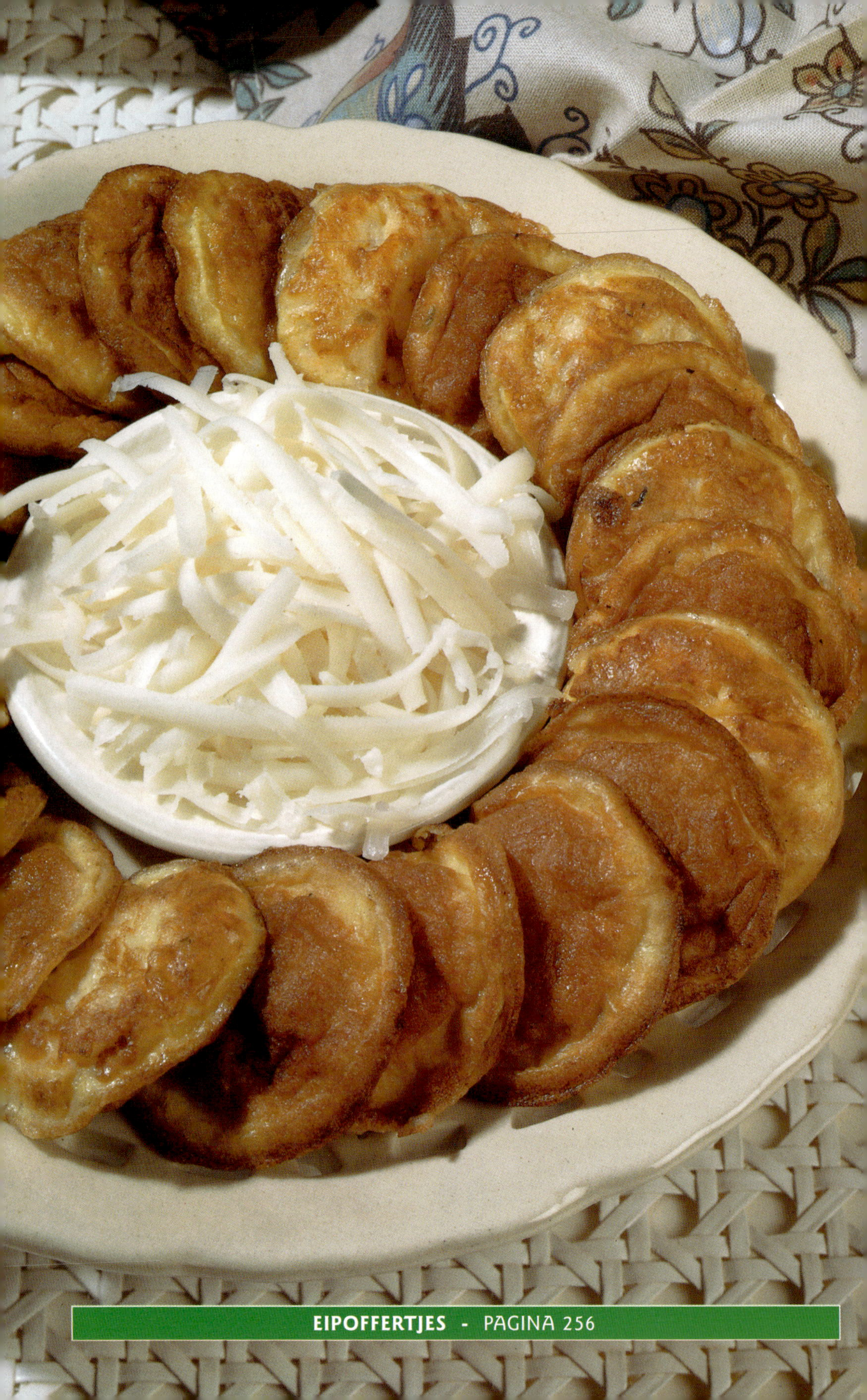

EIPOFFERTJES - PAGINA 256

Yoghurt-quinoa-dressing ⫧

Wachttijd (8-16 uur) voor het laten kiemen van de quinoa:
doe in een (jam)potje 1-2 eetlepels quinoazaadjes.
Dek af met een stukje fijnmazige vitrage of gaas en een elastiekje.
Vul het potje met lauw water, schud goed en laat het water weer weglopen.
Zet weg op kamertemperatuur.

> 3 eetlepels magere yoghurt
> 3 eetlepels gekiemde quinoa
> 1 eetlepel citroen- of limoensap
> flinke mespunt gemberpoeder

Meng alle ingrediënten.

Deze dressing kan ook fungeren als bijzonder beleg voor op volkorenbrood of rijstwafels, schep de dressing dan in een zeef die bekleed is met een dubbel-gevouwen velletje keukenpapier en laat ongeveer 2 uur staan. De dressing is nu een broodsmeersel geworden, lekker met in dunne plakjes geschaafde komkommer, geraspte wortel, klein gesneden paprika of op plakjes appel.

TIP: ⫧ Goudreinetten tot moes gekookt, met gare (ronde)zilvervliesrijst of boekweit en een snufje kaneel en naar wens een paar eetlepels magere kwark of - yoghurt.

Linzenkorianderpuree ⤴

150 gram oranje linzen
2-3 eetlepels korianderzaadjes
1-2 eetlepels citroen- of limoensap
(2-4 eetlepels appeldiksap)
zout

Kook de linzen in 10-15 minuten gaar.
Verhit de koriander zachtjes in een droge pan totdat er voldoende geur vrij-komt. Wrijf de zaadjes fijn.
Giet de linzen af, maar vang het kookvocht wel op, dit is heerlijk om te drinken of voeg aan soep toe.
Pureer de linzen samen met de koriander en het citrussap en voeg zout en diksap naar smaak toe.

Warm lekker bij gedroogde gekookte capucijners+zilvervliesrijst en gestoofde witte kool.
Koud heerlijk volkorenbroodbeleg.

Bewaar in een met kokendheet sodawater omgespoeld potje in de koelkast.

Boerenkool met room ⌵

2-4 Personen

2 uien of 2 preien
500 gram gesneden boerenkool
150-200 ml water of groentebouillon van een blokje, pasta of poeder
125 ml (soja)room
(2-4 eetlepels drooggeroosterde pijnboompitten)

Snijd de ui/prei in ringen en was de prei, fruit in een scheutje olie, in een grote hapjespan, even aan.
Meng de boerenkool erdoor.
Voeg het water/bouillon eraantoe en laat, met het deksel op de pan, ongeveer 25 minuten stoven.
Roer op het laatst de room erdoor en laat nog even warmen.
Strooi naar wens de pijnboompitten over de schotel.

Heerlijk met knolselderij, gebakken, gekookt of in de vorm van puree ⚓.

Peulvruchtenpuree ↙

Het is heerlijk om zelf puree te maken van geweekte en daarna gekookte peulvruchten; linzen, bonen, erwten, kikkererwten.

Zelf gebruik ik vaak het water waarin macaroni of pasta is gekookt, dat moet immers in ruim water en het is jammer om dit water weg te gooien.

De gewassen peulvruchten worden in ongeveer 3 x zoveel water 8-24 uur geweekt Met uitzondering van linzen, die kunnen gelijk worden gekookt en mungboontjes die maar een half uurtje hoeven te weken.

Giet de macaroni/spaghetti af boven een zeef/vergiet die boven de pan met peulvruchten hangt, schenk er eventueel nog extra water bij en laat de peulvruchten weken.

100 Gram gedroogde peulvruchten geeft ongeveer 200-250 gram gekookte peulvruchten.

Als de weektijd om is, kook de peulvruchten dan in 1½ uur gaar.

Laat de pan snel in een grote bak met koud water afkoelen als ze niet direct worden gegeten, bijvoorbeeld alvast 's morgens koken om 's avonds te kunnen gebruiken.

Het duurt een tijd voordat de peulvruchten zijn afgekoeld en ze worden makkelijk en snel zuur.

Het is praktisch om (veel) meer te koken dan voor de maaltijd nodig is om dan van de rest puree (broodbeleg) te kunnen maken.

Laat de peulvruchten na het koken uitlekken en pureer met een scheutje citroensap en smaakmakers naar keuze zoals koriander, kerrie of andere kruiden/specerijen.

Sambal of kleingesneden zongedroogde tomaatjes of in minidobbelsteentjes verdeelde worteltjes of winterpeen of paprika, na het koken en pureren zijn ook een verrassende toevoeging.

De puree is heerlijk op volkorenbrood en fungeert, in fase II ook heel prima als vulling tussen volkorenpannenkoeken.

Bak hiervoor pannenkoeken en besmeer elke pannenkoek ruim met het peulvruchtenbeleg met uitzondering van de bovenste/laatste pannenkoek. Zet deze "taart" 15-20 minuten in een voorverwarmde oven van 200°C en serveer in punten gesneden met rauwkostsla en alfalfa of preischeuten.

Ook is het decoratief om de puree over te doen in een garneerspuit en op ongebleekt bakpapier in de (voorverwarmde 200°C) oven goed heet te laten worden en te serveren bij gestoofde kool, kortgekookte spruitjes beetgaar gekookte sperzieboontjes enz en gekookte zilvervliesrijst.

Deze puree is ongeveer één tot anderhalve week, in een goed af te sluiten potje, in de koelkast te bewaren.

Gekookte peulvruchten kunnen óók, na snelle afkoeling in porties, in de diep-vries worden bewaard.

TIP: *Fase II* Pannenkoekenbeslag maken en er op het laatst enkele eetlepels (zelfgemalen) muesli/vlokken van haver, tarwe, zilvervliesrijst en bijvoorbeeld quinoa doorroeren om mee te laten bakken. Lekker om te besmeren met peul-vruchtenpuree ⚓.

Volkorenbroodfantasie ⬠

(oud) volkorenbroodsneetjes

Rooster de sneetjes tot "beschuitachtig" en steek er met uitsteekvormpjes figuurtjes uit.

Decoratief als garnering, gezellig bij soep of bouillon en leuk om op een hapjestafel ⚓ neer te zetten en te besmeren met peulvruchtenpuree ⚓ naar smaak.

Het brood wat overblijft na het uitsteken, is goed te gebruiken in de (kikker)erwten- of andere peulvruchtenpureekoekjes ⚓.

Artisjokkenpuree ⌁

Wachttijd 6-12 uur voor het uitlekken van de zuivel.

4 artisjokharten uit een pot of blik
100 ml uitgelekte magere yoghurt of kwark
1 eetlepel dilletoppen

Spoel de artisjokken met water af en knijp er met keukenpapier het meeste vocht uit.
Pureer samen met de zuivel en roer er de dille doorheen. Zet weg tot gebruik.

Deze puree is heerlijk als komkommer/tomaatjes vulling, maar ook heel verrassend om op artisjokbodems te spuiten.

⬠ Als bijzonder beleg te serveren op volkorenbrood, zilvervliesrijstwafel, volkoren knäckebröd of donker roggebrood.

⌁ Ook is het heerlijk als dipsausje voor rauwe/geblancheerde bleekselderij, bloemkoolroosjes en reepjes paprika.

Groentebouillon(fondue)

Kies groenten van het seizoen, snijd de schoongemaakte, gewassen en gesneden groenten klein, zo geven ze een optimale smaak af.
Niet langer dan 30 minuten laten trekken, hierna de bouillon zeven.
Geschikte groenten zijn prei, ui, koolblaadjes, bleekselderij, boontjes restantje sla etc.
Naar keuze zelf op smaak brengen met kruiden, peper/zout of gebruik een groentebouillonblokje, -pasta of -poeder.
Het is heerlijk om groenten in de kokende bouillon te dopen en te laten garen, het onderstaande lijstje heb ik overgenomen uit mijn boekje "Monter met Montignac" uit het stukje fonduen. Maak een ruime hoeveelheid, want fonduen is gezellig, kan daardoor lang duren en er verdampt dan heel wat vocht. Vul de pan daarom bij uit een grotere pan die in de keuken wordt warmgehouden.

In kleine roosjes verdeelde bloemkool en broccoli,
opgerolde blaadjes paksoi, groene kool en dergelijke,
peultjes, lente- of bosuitjes, in stukjes gesneden bleekselderij, courgette, venkel, paprika en rettich, kerstomaatjes, radijsjes.
Deze groenten kunnen allemaal rauw geserveerd worden, want ze worden makkelijk gaar als ze in de hete bouillon gedoopt worden.
Groene asperges, knolselderij-, koolrabi-, koolraapblokjes en (kleine) spruitjes kunnen beter worden voorgekookt.

Het is leuk en gezellig om velerlei gerechtjes te kiezen uit de matrixen op pagina 16 t/m 22 onder het kopje fondue.
Kies voor ⟋, ⟋⟍ en ⟍ zodat iedereen een keuze heeft, voor fase II kan natuurlijk alles worden gecombineerd.

TIP: ⟋ Overgebleven groenten na het fonduen beetgaar koken in weinig water, volkorenmacaroni beetgaar koken in de bouillon eventueel aangevuld met extra water en de groenten bij de macaroni mengen. Opfleuren met kruidenzout en/of sprouty ⚓.

Rijst-roomvlaaitje zonder bodem
(fase II)

2-6 Personen

Wachttijd 1-24 uur.

250 gram gare (warme of koude) ronde zilvervliesrijst
200 ml sojaroom
100 ml water of sojamelk of magere melk
5 gram agar-agarpoeder of -vlokken
chocolade-/carobsaus ⚓ of
2-4 eetlepels fijngehakte cacao- (>70% cacao) of carobtablet

Bekleed een (cake)vorm met ongebleekt bakpapier, zorg dat het papier over de randen hangt.

Roer de rijst en de sojaroom door elkaar en kook het water of de melk met de agar-agar 2-3 minuten.

Haal de agar-agar van het vuur en meng goed met de rijst-room.

Schenk dit mengsel in de vorm en bestrijk/bestrooi direct met de chocolade/carob.

Laat afkoelen en in de koelkast verder opstijven.

Dit lekkers kan al na een uurtje worden geserveerd, maar is smakelijker na een dag.

Til de rijst aan het bakpapier uit de vorm op een snijplank, verdeel in het gewenste aantal porties, en leg met een taartschep op de bordjes.

Met z'n tweeën of drieën lekker als middagmaal, maar ook lekker om op te dienen als toetje of bij een kopje (groene of kruiden)thee.

Knolselderij-spruittaart in laagjes ⌣
2-6 Personen

300 gram spruiten
300 gram knolselderij
100 gram geraspte (geiten)kaas
(knoflook, nootmuskaat)
4-5 eieren

Maak de spruiten schoon en kook ze in ruim water in 20 minuten gaar.
Houd enkele mooie spruitjes achter ter garnering.
Schrob of schil de knolselderij, snijd in stukken en kook in 20 minuten gaar.
Giet de beide groenten af, gooi het kookvocht van de spruiten weg en vang het kookvocht van de knolselderij op, dit is heerlijk om te drinken of bleekselderij in te koken.
Pureer de beide groenten samen met de kaas, eventuele knoflook en nootmuskaat naar smaak in de keukenmachine*.
Warm de oven voor op 200 °C.
Klop de eieren los met een scheutje olijfolie en zout, zout is afhankelijk van de kaas die gebruikt is!
Bak in een klein koekenpannetje, diameter ongeveer 16 cm ø, 3-4 koeken van de eieren.
Leg de eerste koek in een ronde vuurvaste schaal en besmeer ruim met de puree.
Leg de volgende koek op de puree en besmeer weer met puree, ga door tot en met de laatste koek, besmeer deze aan de bovenkant en ook de buitenkant van de taart, zodat de eiranden niet meer te zien zijn.
Plaats de schaal in de oven en laat de taart, in ongeveer 30-40 minuten, een mooie gegratineerde buitenkant krijgen.

Laat de taart even rusten alvorens aan te snijden en te garneren met de achtergehouden spruitjes. Een heerlijk hoofdgerecht voor 2 personen, aangevuld met gebakken venkel met rode ui ⚓.
Bijzonder als lauw tot koud voorgerecht of onderdeel van een hapjestafel ⚓.

---

* ⌣*De puree is als zodanig heel goed te combineren bij tal van gerechten; knolselderijdobbelsteentjes ⚓, kortgekookte spruitjes met gesmoorde kastanjechampignons ⚓ of preiringen.*

Kastanjechampignons ∿

2 Personen

500 gram kastanjechampignons

Wrijf de champignons, indien nodig, met een keukenpapiertje schoon en snijd ze in dikke plakken.

Doe ze in een anti-aanbakpan die op laag vuur staat, voeg zodra de champignons aan de bodem vastkleven 2-3 eetlepels water toe en laat ze met het deksel op de pan in 15-20 minuten gaarsmoren.

Voeg naar eigen smaak en voorkeur peper/knoflook uit de pers toe.

↙ Heerlijk om zo bij beetgaar gekookte volkorenpasta of gekookt graan te gebruiken of uitgelekt op volkorenbrood om door kortgekookte spruiten te mengen en te eten met gekookte of gebakken blokjes koolrabi.

∿ De champignons zijn ook smakelijk om groentebouillon ⚓ mee te verrijken.

Samen met enkele eetlepels groentebouillon gepureerd geeft het een verrukkelijke saus.

TIP: ⌣ Aangenaam hapje, donkergroene pompoenpitten even droogroosteren (poffen) in een anti-aanbakkoekenpan en bestrooien met gomasio.

Spruit-knolselderijpuree ⌒ of ∿

2 Personen

300 gram spruiten
300 gram knolselderij
(2 eetlepels crème de quinoa)
(knoflook, nootmuskaat)

Maak de spruiten schoon en kook ze in ruim water in 20 minuten gaar.
Schrob of schil de knolselderij, snijd in stukken en kook in weinig water met zout in 20 minuten gaar.
Giet de groenten af, gooi het kookwater van de spruiten weg en vang het knolselderijkookvocht op, dit is heerlijk om te drinken of om bleekselderij in te koken.
Pureer de beide groenten samen met de crème de quinoa*, die een heerlijk romig effect geeft aan de puree, eventuele knoflook en nootmuskaat naar smaak in de keukenmachine.

Warm, indien nodig, nog even op en serveer deze puree bij tal van wintergroenten/gekookte granen of lauw tot koud op volkorenbrood.

* *Als er geen quinoa wordt gebruikt is dit een neutraal gerecht.*

Witlofkaasschotel uit de römertopf ⌄
2 Personen

4-6 struikjes witlof
50 ml room met een stukje van een groentebouillonblokje, -pasta of -poeder
50 gram geraspte (geiten)kaas

Zet de römertopf de benodigde tijd onder water.
Maak de witlof schoon en leg ze in de römertopf.
Meng de room met de bouillon en de geraspte kaas en verdeel dit mengsel over de witlof.
Zet de römertopf in de oven, stel deze in op 200°C en laat in 45 minuten de lof gaar worden.

Lekker met groene koolraappuree ⚓.

Sojaroomdroom
(fase II)

Dit geeft ongeveer 400 ml aan ijs.

3-4 eiwitten*
1-2 eetlepels tropical dream diksap
4-5 eetlepels sojaroom, in dit recept niet te vervangen door slagroom
30 gram copeaux de chocolat M. Montignac

Klop in een plastic kom het eiwit met een snufje zout, als het stijf is voeg er dan het diksap bij en klop ongeveer 5 minuten tot zeer stijf.
Schenk er dan, terwijl de mixer nog steeds op hoog toerental draait, de soja-room heel langzaam bij, het is de bedoeling dat het eiwit niet te veel "inzakt". Uit ondervinding is gebleken dat er de ene keer meer/minder gebruikt wordt dan de andere keer daarom giet ik de room altijd direct uit de verpakking bij het eiwit omdat dat een mooi schenktuitje heeft.
Schep in een (cake)vorm of laat in de kom en plaats in de vriezer.

* *Kijk voor eidooierreceptjes bij de* ⌄ *index.*

Broodjes ⤸

500 gram tarwevolkorenmeel
of 400 gram tarwevolkorenmeel + 100 gram ander volkorenmeel
zoals kamut, rogge, quinoa, boekweit, rijst.
1 eetlepel droge gist of voldoende voor 500 gram meel
300 ml water van ongeveer 35°C
(1-2 eetlepels olie)
1 eetlepel zout

Strooi het meel in een kom en meng de gist erdoor.

Giet er langzaam het water bij, soms is wat minder dan 300 ml ook al genoeg, onder voortdurend kneden. Voeg er dan de eventuele olie bij en het zout en blijf kneden tot een mooie elastische bal.

Leg een natte warme doek over de kom en zet een uurtje weg om te rijzen op een warme plaats, of in de oven die op 40°c is ingesteld.

Kneed na dit uur nogmaals gedurende 5-10 minuten en verdeel het deeg in verschillende porties.

Hier enkele suggesties, het is een feest om te experimenteren met velerlei smaakmakers.

1 eetlepel kummel-/karwijzaad
1 eetlepel venkelzaad
1 eetlepel anijszaad
1 eetlepel gembersiroop ⚓
1 eetlepel gehakte chocolade (>70%cacao) of carob (fase II)
4 in stukken en geweekte pruimen
1 eetlepel jam
1 eetlepel boekweit of eerst drooggeroosterd(kasha)
plukjes geblancheerde uitgelekte gekiemde gemengde peulvruchten (sprouty)
1 eetlepel gare zilvervliesrijst

De hoeveelheden zijn iedere keer voor 150 gram 1 x gerezen deeg, dit deeg kan als bolletjes worden afgebakken maar het is ook leuk om "blikbroodjes" te maken, kijk hiervoor op pag. 240.

Blikbroodjes ⋉

Kies hiervoor lege lange smalle blikjes met een inhoud van ongeveer 250 ml, verwijder ook de bodem. Leg het deeg in een rolletje op ongebleekt bakpapier wat aan de buitenkant ruim uitsteekt. Vouw het bakpapier er heel los om en schuif dit in het blikje. Zet weer 45-60 minuten weg om te rijzen.
Warm de oven voor op 240°C en bak de broodjes in het midden van de oven in 20 minuten gaar en bruin.
Haal de broodjes na het bakken uit de blikjes en laat ze op het rooster uitwasemen. Het is leuk om van deze broodjes volkorentoastjes te snijden of om ze, nadat ze zijn afgekoeld, in de vriezer te bewaren om altijd aparte broodjes te kunnen eten als er geen tijd is om ze te bakken.

Sprouty* in volkorenbrood ⋉

Meng door ongeveer 700 gram 1 x gerezen deeg 150 gram, 3-5 minuten geblancheerde en daarna met koud water afgespoelde en uitgelekte sprouty.

JAAR

Peulvruchtenmix ⋉
2 Personen

125 ml magere yoghurt
2 paplepeltjes bonenkruid
1 theelepel ume-su
150 gram gare bruine bonen/kievitsbonen
150 gram kikkererwten
100 gram sprouty*

Roer het bonenkruid en de ume-su door de yoghurt en meng dit door de bonen en de kikkererwten.
Kook de kiemgroenten 3-5 minuten, giet af boven een zeef, het vocht is heerlijk om te drinken! Laat goed uitlekken en meng door de bonen en kikkererwten. Deze mix is heerlijk om zo te eten als salade. Eventueel op blaadjes witlof of eikenbladsla.

* *Sprouty is kiemmix, uit de natuurvoedingswinkel, van aduki-, mung-, en zwarte bonen, kikkererwten en groene linzen.*

Amandelen of paranoten met een bruin mutsje
(fase II)

50 gram chocolade- (>70% cacao) of carobtablet
25-30 witte amandelen of paranoten

Leg een stukje ongebleekt bakpapier klaar.
Snijd de chocolade/carob klein en laat, in een pan met dikke bodem (of au bain marie) op een heel laag pitje, in een scheutje water smelten.
Doop de amandelen/paranoten één voor één in de gesmolten chocolade/carob en leg ze op het bakpapier.
Laat in de koelkast de mutsjes hard worden.

Er blijft altijd een beetje achter in de pan, het is heerlijk om een kopje (cafeïne vrije) koffie te zetten of koffievervanger, dit in de pan te schenken over te doen in een kopje en gelijk op te drinken.

Linzenbrood K

500 gram tarwevolkorenmeel
of 400 gram tarwevolkorenmeel + 100 gram ander volkorenmeel
zoals kamut, rogge, quinoa, boekweit, rijst.
1 eetlepel droge gist of voldoende voor 500 gram meel
300 ml water van ongeveer 35°C
(1-2 eetlepels olie)
1 eetlepel zout
100 gram gekiemde linzen

Strooi het meel in een kom en meng de gist erdoor.
Giet er langzaam het water bij, soms is wat minder dan 300 ml ook al genoeg,
onder voortdurend kneden. Voeg er dan de eventuele olie bij en het zout en
blijf kneden tot een mooie elastische bal.
Leg een natte warme doek over de kom en zet een uurtje weg om te rijzen op
een warme plaats, of in de oven die op 40°C is ingesteld.

Kneed het deeg nogmaals goed gedurende 5-10 minuten en werk de gekiemde linzen erdoor zodat ze goed verdeeld zijn.

Doe het deeg in de broodvorm en zet weer weg op een warme plaats om te
laten rijzen.
Warm de oven voor op 220°C en bak het brood, in 30-35 minuten in het midden van de oven, mooi bruin.
Haal uit de vorm en laat op een rooster uitwasemen.

Pannenkoeken
(fase II)

De aangegeven hoeveelheid is voldoende voor ongeveer 4-6 grote pannen-koeken of 15-16 flensjes

200 gram volkorentarwemeel*
snufje zout
1-2 eieren of 2 eetlepels lecithine 98% geweekt in 2 eetlepels water
ongeveer 400 ml vocht, water, magere melk, sojamelk of groentebouillon van een blokje
pasta of poeder

Doe het meel en het zout in een grote kom, breek de eieren erboven of schenk de lecithine erbij.
Voeg scheutje voor scheutje het gekozen vocht eraantoe onder voortdurend mixen/roeren.
Gebruik naar eigen smaak wat meer of minder vocht.
Laat, als er de mogelijkheid voor is, het beslag een tijdje "rusten".
Vet een anti-aanbakkoekenpan zuinig in met een kwastje met olie en bak de pannenkoekjes of flensjes.
Keer ze als de bovenkant droog en de onderkant bruin is.
Houd ze warm, op een bord, op een pan die is gevuld met kokend water.

Gebruik de pannenkoeken belegd met roergebakken groenten, jam uit 100% fruit, uitgelekte magere of volle zuivel met jam of diksap. Of.
Maak een pannenkoektaart met peulvruchtenpuree ⚓.

---

* Kamutmeel of quinoameel als vervanger van tarwemeel voor het beslag geven een verrassend "andere" smaak aan de flensjes/pannenkoeken.

Champignons speciaal uit de römertopf ⁓

2 Personen

500 gram grot-, kastanje- of mergelchampignons
2 preien
2-3 eetlepels tamari/shoyu
(peper/knoflook uit de pers

Zet de römertopf de benodigde tijd onder water.
Snijd de prei in smalle ringen, was en laat uit lekken.
Snijd de champignons in niet te dunne plakjes.
Leg de prei in de römertopf en de champignons erbovenop, schenk de soja erover en voeg de eventuele andere smaakmakers toe.
Plaats de schaal met het deksel erop in de oven.
Stel deze in op 200°C en laat in ruim 1 uur de champignons gaar worden.

↜ Heerlijk om te serveren bij kortgekookte spruitjes/broccoli en beetgaar gekookte volkorenpasta of gekookte granen.
Of, uitgelekt, op volkorenbrood of pannenkoeken ⚓.

⌄ Als deze champigmons bij een vetmaaltijd worden gegeten kan er een scheutje (soja)room overgegoten worden.

Door de champignons te pureren ontstaat er een overheerlijke saus.

Citroenroom ⌄

100 ml slagroom
1 eetlepel citroensap, of limoensap voor limoenroom

Sla de room bijna stijf en voeg er dan het citroensap aan toe.

Serveer deze heerlijke room bij beetgaar gekookte groenten of wat erg smakelijk is, bij knolselderijdobbelsteentjes speciaal ⚓ en gekookte venkel.

Aziatische kleefrijst

2 Personen

100 gram kleefrijst/ketan
200 ml water

Was de rijst onder stromend water in een zeef.
Zet op met het water, laat aan de kook komen en zet het vuur dan laag.
Plaats, wanneer het water verdampt is, de deksel schuin op de pan en laat de rijst in totaal in 3 kwartier tot 1 uur gaar worden.

Dien de warme rijst direct op of doe over in een (cake)vorm of schaal, druk goed aan en laat afkoelen.
Stort voor gebruik op een plank en snijd in repen of blokjes.

Bijzonder lekker bij de rode kool met appelpuree ⚓ of het komkommerui-mengsel ⚓.

Er is met de kleefrijst ook een heel ander lekker gerechtje te bereiden, alleen de ingrediënten wijken af van het voorgaande recept en serveer het koud.

Klef kleefrijsthapje

100 gram kleefrijst
150 ml water
50 ml peren- of appeldiksap

Dit kleverige hapje is alleen voor de liefhebbers van kleffe toetjes/hapjes!

Venkel, gebakken met rode ui ⌄
1-2 Personen

1 venkel

1 klein of 1 grote rode ui

(1 eetlepel citroen- of limoensap)

Maak de venkel schoon door de bovenste stelen en de bruine stukken weg te snijden, was en snijd doormidden.

Kook, in weinig water, in 15 minuten gaar en giet af.

Laat de venkel even uitlekken en afkoelen in een zeef/vergiet.

Verhit een scheut olijfolie, pel en snijd de ui in ringen doe bij de olie en laat iets glazig worden.

Snijd de venkelhelften in repen en voeg ze bij de ui, laat op hoog vuur en onder voortdurend omscheppen, bruinen.

Besprenkel eventueel met citrussap en dien op met knolselderijspruittaart⚓, naar eigen voorkeur mét of zonder (geiten)kaas.

Venkelsalade ⌄
2 Personen

1 venkel

2 eetlepels (appel)azijn

4 eetlepels (sesam)olie

1 theelepel (kruiden)zout

Maak de venkel schoon door de bovenste stelen en de bruine stukken weg te snijden, was en snijd doormidden en in smalle reepjes.

Maak een sausje van de overige ingrediënten en schenk over de venkelreepjes.

Sneeuwijs

Wachttijd 3-4 keer 3 kwartier.

2 eiwitten*
1 eetlepel citroen- of limoensap
100 ml vers ananassap**

Klop de eiwitten, in een plastic kom met ronde bodem, zeer stijf met het citrussap en een snufje zout.

Schenk er dan, terwijl de mixer op de hoogste stand draait, langzaam het ananassap bij.

Zet de kom in de vriezer en mix 3-4 keer met een tussentijd van ongeveer 3 kwartier. Ga goed langs de bodem/wanden zodat alles wordt meegenomen. Het mengsel moet bij de laatste keer de structuur van poedersneeuw hebben gekregen.

Doe "de sneeuw" dan over in een diepvriesbakje met deksel tot gebruik.

De sneeuw is lekker om zo op te peuzelen, maar ook heel bijzonder over schoongemaakte ananas uit de koelkast.

Het sap van rode grapefruit is ook heel lekker om tot sneeuwijs te verwerken. Reken voor 1 persoon op 1 grapefruit, snijd de vrucht doormidden en pers uit één helft het sap.

Gebruik 75-100 ml sap op 2 eiwitten.

Proef of het sap niet bitter is als dat zo is, roer er dan een eetlepel appeldiksap door voor het door het eiwit wordt gemixt.

Verwijder van de andere helft de vliesjes en zet zolang in de koelkast.

Bedek het fruit met het sneeuwijs en geniet er direct van want het smelt als sneeuw voor de zon!

* *Kijk bij de index voor eidooierrecepten.*

**Als ananas wordt schoongemaakt met de ananasslicer, vang dan het sap op om te gebruiken voor dit sneeuwijsrecept.*

Witte wintersla ⤝
2 Personen

100 gram geschilde en grof geraspte knolselderij
1 struikje witlof in heel smalle reepjes
100 ml magere yoghurt
1 eetlepel citroen- of limoensap
kruidenzout

Meng de beide groenten door elkaar en maak de yoghurt op smaak met de smaakmakers, roer direct door de groenten, ook tegen bruin kleuren van de knolselderij en serveer terstond.

De salade is mooi op kleur en pittig op smaak te brengen met veel fijnge-knipte daikonkers erover gestrooid.

Koolrabi + wortelsalade met gember-yoghurtsausje ⤝
2 Personen

200 gram koolrabi
200 gram rauwe winterwortel*
100 ml magere yoghurt
1 eetlepel appeldiksap + 1 theelepel gemberpoeder of gebruik gembersiroop ⚓

Was of schil en rasp de koolrabi. Dunschil de wortel en rasp fijn.
Meng door de yoghurt het appeldiksap en de gember, en roer dit sausje bij de groente.

Deze salade is lekker bij diverse maaltijden, maar is ook een verrassing tussen 2 volkorenboterhammen, laat dan eventueel eerst in een vergiet het meeste vocht eruit lekken.

TIP: *Fase II* Beetgaar gekookte volkorenpasta van kamut, tarwe of soba in na het koken gemengd met uiringen, avocado, pesto en (schapen- of geiten)feta.

Brood van roggemeel ⬠

500 gram roggevolkorenmeel
1 eetlepel gist of voldoende voor 500 gram meel
300 ml water ongeveer 35°C
(1-2 eetlepels olie)
1 eetlepel zout

Strooi het meel in een kom en meng de gist erdoor.

Giet het water erbij onder voortdurend kneden. Voeg er dan de eventuele olie bij en het zout en blijf kneden tot een mooie elastische bal.

Leg een warme natte doek over de kom en zet een uurtje weg om te rijzen op een warme plaats of in de oven die op 40°C is ingesteld.

Laat de 2e keer 2-3 uur rijzen en bak 1 uur in een voorverwarmde oven van 150 °C.

Dit brood is heel compact, en niet te vergelijken met het in de winkel te koop zijnde roggebrood, maar toch heel smakelijk.

Snijd het 1-2 dagen na het bakken in dunne sneetjes, heerlijk met appel-, peren- of dadelstroop.

Groene koolraappuree ～
2 Personen

500 gram koolraap
500 gram wilde spinazie

Schil de koolraap, snijd in stukken en kook in 25-30 minuten gaar.
Was intussen de spinazie goed en verwijder lelijke blaadjes en harde stengels.
Laat de spinazie in een grote pan met aanhangend water in korte tijd slinken,
doe over in een vergiet en druk er met een grote lepel het meeste kookvocht uit.
Giet de koolraap af en pureer samen met de gare spinazie, proef, maak op
smaak af met zout/peper en dien op.

De koolraappuree heeft een heerlijk "romig" effect zonder dat er vet gebruikt
wordt en is een kleurrijke en smakelijke aanvulling bij velerlei gerechten.

↙ Ook lekker om te serveren bij een mix van gekookte zilvervliesrijst, gerst
en rogge.

∨ Decoratief, als de puree bij een vetmaaltijd gegeven wordt, om te bestrooien met in een droge koekenpan geroosterde pijnboompitten.

Koolsalade ⌣

2-4 Personen

(Wachttijd eventueel 1-24 uur)

300 gram rode kool
150 gram (rode) rettich
1 kleine rode ui
3-5 eetlepels kwarknaise ⚓ of mayonaise/tofunaise
verse gemberwortel ter grootte van 2 walnoten
of 1 eetlepel gemberpoeder

Zet ruim water op en breng aan de kook.
Verwijder lelijk blad van de kool, snijd de stronk weg en snijd of schaaf de kool in heel dunne reepjes.
Blancheer de kool 2-3 minuten in het kokende water.
Giet af in een zeef/vergiet, spoel met koud water en laat uitlekken.
Dunschil de rettich en rasp grof. Pel en snipper de ui.
Schil de verse gember, hak/snijd in heel kleine stukjes en pers met de knoflookpers bij de "naise" of roer de poeder erdoor.
Maak op smaak met (kruiden)zout.
Doe de gembernaise in een grote kom, schep de groenten erbij en meng goed door elkaar.

De volgende dag is deze salade boterzacht.

Avocado bleek een heerlijke toevoeging te zijn aan deze salade, qua kleur was het even schrikken, maar dit deed niets af aan de smaak.

TIP: ⌣ Groene knolselderijpuree ⚓ met in de olie roergebakken taugé met tamari/shoyu, heel fijngesneden kool en kwarknaise ⚓.

Winterpostelein + avocadosalade ⌄

2-4 Personen

1 avocado
1 eetlepel sesamolie
½ eetlepel citroen- of limoensap
(kruiden)zout
1 sjalotje of kleine rode ui
150 gram winterpostelein

Schil de avocado en snijd boven een grote kom in stukken, meng de olie en het citrussap erdoor.
Maak op smaak met het zout.
Verwijder de wortelaanzet van de postelein en spoel de postelein in ruim water.
Laat uitlekken of sla het water eruit.
Snijd de steeltjes in 2 cm lange stukken en houd de blaadjes als blaadjes.
Schep door het avocadomengsel.

Heerlijk als complete maaltijd eventueel nog bestrooid met in een droge koekenpan geroosterde pijnboom- of pompoenpitten.
Maar ook lekker als voorgerecht.

TIP: ⌐ Mix van zilvervliesrijst/gerst gekookt in water met tamari/shoyu met een mix van gekookte kievits-, witte en bruine bonen, capucijners, erwten en linzen. Als de kooktijd om is peulvruchten en granen door elkaar mengen en op smaak brengen met sambal. Heerlijk met gestoofde preiringen.

Rijst + kiemgroentelekkers K

2 Personen

75 gram zilvervliesrijst

75 gram gerst of graan naar keuze

1 paplepeltje kruidenzout

1 theelepel korianderpoeder = ook ketoembar

100 ml magere yoghurt

100 gram kiemgroenten van gemengde peulvruchten

Kook de granen in de aangegeven tijd gaar.

Roer het zout en de koriander door de yoghurt.

Blancheer de kiemgroenten 2-3 minuten in kokend water. Giet af en laat uitlekken.

Meng de kiemgroenten door de gare granen en meng er de yoghurt door.

Eet deze supermix (lauw)warm of koud en gegarneerd met wilde spinazie,
blaadjes van winterpostelein of op eikenbladsla.

Heerlijk tussen-de-middag, maar ook origineel op de hapjestafel ⚓.

Koffiecrème ⌄

2-4 Personen

250 ml slagroom
1 paplepeltje (cafeïne)vrije oploskoffie of koffievervanger
1 ei

Doe de slagroom in een niet te kleine pan met dikke bodem.

Meet met een houten pollepel de hoeveelheid room, zet een potloodstreepje tot waar de room komt.

Kook de room op een middelmatig-hoog vuur en onder af en toe roeren zonder deksel in tot ongeveer de helft. Vandaar de pollepel met het streepje! Of bekijk het op het oog.

Strooi de koffie erbij en roer goed door de dikke room.

Zet de pan in een bak met koud water, roer af en toe.

Splits het ei en klop het eiwit heel stijf met een snufje zout.

Roer de eidooier door de room en meng het eiwit voorzichtig bij de room in de pan.

Doe over in één of meer vormpjes en zet in de vriezer.

Meestal zijn toetjes hartig (kaas) of zoet, dit zit er tussenin en kan goed de plaats van koffie na een etentje innemen. In ieder geval voor de mensen die gewend zijn hun koffie zonder zoetstof te gebruiken.

In fase II heerlijk met warme chocolade/carobsaus ⚓.

Groene soep ᴷ

2-4 Personen

Eventueel wachttijd; 200 gram geweekte en gekookte kikkererwten of kook met de rijst tegelijkertijd linzen gaar.

600 gram knolselderij

2 niet te dikke preien

100 gram zilvervliesrijst

50 gram ander graan

2-3 eetlepels wilde rijst

200 gram gekookte kikkererwten of kook in 15 minuten linzen gaar

200 gram wilde spinazie of winterpostelein

smaakmakers naar eigen voorkeur

Schrob of schil de knolselderij en snijd in stukken in een pan, voeg hier 1 liter water aan toe en breng aan de kook.

Snijd de prei in ringen, was en voeg aan de knolselderij toe.

Kook in 25-30 minuten gaar.

Doe de rijst+graan in een grote pan, zet hier een zeef/vergiet op en giet de knolselderij/prei hierboven af.

Kook de rijst gaar in het kookvocht van de knolselderij, geen rekening houden met zoveel water op zoveel rijst!

Was de spinazie en laat met aanhangend water slinken, doe over in een zeef/vergiet en druk het meeste vocht eruit.

Pureer* de spinazie, knolselderij en de kikkererwten (linzen) en maak pittig op smaak met tamari/shoyu peper en (kruiden)zout.

Roer, als de rijst gaar is, de puree bij de rijst in de grote pan en warm nog even goed door.

* *Controleer of de puree door een (roer)zeef moet voordat het teruggaat bij de rijst, het moet een mooie gladde puree zijn geworden, soms geeft de spinazie/winterpostelein wel eens haren en dat is niet lekker tijdens het eten.*

Eipoffertjes ⌄

Ongeveer 40 stuks.
Dit aantal is geheel afhankelijk van het soort poffertjespan, mijn ouderwetse "omapoffertjespan" heeft een grotere diameter dan mijn anti-aanbakpoffertjespan en in de laatste bak ik in één keer 19 poffertjes en in de eerste ouderwetse 7 dus...

Met kaas of kruiden
4 eieren
1 eetlepel water of (soja)room
50 gram geraspte of gemalen (geiten)kaas of Provençaalse- of Italiaanse kruiden
selderij- of kruidenzout

Klop de eieren los met het water of de room en roer de kaas of kruiden erdoor voeg, afhankelijk van de pittigheid van de kaas, zout toe.
Vet de poffertjespan in met een kwast met olijfolie en verhit.
Vul alle holtes van de pan met een eetlepel eimengsel en laat de bovenkant van het ei stollen.
Keer en bak en keer nog eens om de poffertjes aan beide zijden mooi goudbruin te laten worden.
Houd ze warm in een schaaltje op een vlamverdeler of rechaud.

De receptjes met eidooier ⚓ kunnen ook gebruikt worden om als poffertjes te verwerken.

Rode kool ⤆

2 Personen

1 rood kooltje*
½ grote rode ui of 1 kleintje
250-300 gram zachtzure appel

Verwijder lelijke bladeren van de kool en snijd de kool in de lengte doormidden en in vieren.

Spoel de stukken onder stromend water goed af, snijd de stronk weg en snijd of schaaf de kool heel fijn.

Pel en snijd de ui klein. Doe kool en ui in een pan met dikke bodem met 100 ml water en laat 15-20 minuten op laag vuur stoven. Voeg naar eigen keuze een laurierblaadje en/of kruidnagel toe.

Schil inmiddels de appel, verwijder het klokhuis en snijd in stukken. Voor de liefhebber van gember is het aantrekkelijk om hiervan wat bij de appel te strooien.

Doe in een pan en laat op laag vuur tot moes koken, roer af en toe.

Voeg de appel toe aan de rode kool en laat in nog eens 10 minuten gaar worden.

Rode kool is heerlijk met peulvruchtenpuree ⚓ en naar wens aangevuld met zilvervliesrijst of Aziatische kleefrijst.

Stoofpeertjes ⚓ en rode kool zijn natuurlijk ook een lekkere combinatie.

---

* *500 Gram schone rode kool is voor 2 personen meestal ruim voldoende, eventueel is het makkelijk om tegelijk de koolsalade ⌣⚓ te bereiden, die is de volgende dag alleen maar lekkerder op smaak.*

Index

GOEDE KOOLHYDRATEN INDEX

N INDEX

V INDEX

COMBINATIE- OF FASE 2 INDEX

GASTRONOMIE EN VOEDINGSWAARDE MET
DE LEVENSMIDDELEN VAN MONTIGNAC

Onder de naam Michel Montignac is een reeks voedingsmiddelen ontwikkeld die, op basis van de principes van de Methode Montignac, gewichtsbeheersing, gezondheid en gastronomie in zich verenigen. Het zijn authentieke producten, zonder suiker en met veel vezels; 'goede' koolhydraten met een lage glycemische index, volgens het basisprincipe van de Methode Montignac. Ook het aandeel onverzadigde vetzuren is hoog.

Onder de naam Michel Montignac worden ondermeer de volgende producten gebracht:
• Geroosterd volkorenbrood
• Pasta's op basis van volkorenmeel van biologisch verbouwde harde tarwe
• Chocolade met een cacaogehalte van 70% tot 85%
• Jams zonder toevoeging van suiker of andere zoetmiddelen
• Producten uit de Provence: ratatouille, gazpacho, vissoep
• Olijfolie extra vierge, biologisch geteeld
• Azijn Balsamique
• En verder: gedroogde vruchten, sojaproducten, andere sauzen enz.
• Wijnen

Wilt u nadere inlichtingen, maak dit dan kenbaar op de bijgesloten antwoordkaart, of neem contact op met:

• in België: Hygiëna Oostjachtpark 3   tel. (0)3 - 776 34 61
                B-9100 St. Niklaas   fax (0)3 - 778 14 13

• in Nederland: Natudis b.v. Postbus 376   tel. (0)341 - 46 42 84
                3840 AJ Harderwijk   fax (0)341 - 42 57 04

• in Frankrijk: New Diet - B.P. 250   tel. (0)1 - 479 35 959
                F 92602 Asnières   fax (0)1 - 479 39 244